# DANS CE JARDIN
# QU'ON AIMAIT

Collection littéraire dirigée par
MARTINE SAADA

Anne Berest, *Les Patriarches*
Anne Berest, *Recherche femme parfaite*
Pascal Convert, *La Constellation du Lion*
Delphine Coulin, *Les Traces*
Delphine Coulin, *Une seconde de plus*
Delphine Coulin, *Voir du pays*
Christophe Duchatelet, *Par-dessus ton épaule*
Ghislaine Dunant, *Un effondrement*
Ghislaine Dunant, *Charlotte Delbo*
Jean-Yves Jouannais, *Les Barrages de sable*
Jean-Yves Jouannais, *La Bibliothèque de Hans Reiter*
Hélène Lenoir, *Tilleul*
Pierre Lepape, *La Disparition de Sorel*
Michel Manière, *Une femme distraite*
Michel Manière, *Une maison dans la nuit*
Pascal Quignard, *Les Ombres errantes*
Pascal Quignard, *Sur le jadis*
Pascal Quignard, *Abîmes*
Pascal Quignard, *Les Paradisiaques*
Pascal Quignard, *Sordidissimes*
Pascal Quignard, *Les Désarçonnés*
Pascal Quignard, *Mourir de penser*
Pascal Quignard, *Les Larmes*
Michel Schneider, *Marilyn dernières séances*
Michel Schneider, *Morts imaginaires*
Serge Toubiana, *Les Fantômes du souvenir*
Jacques Tournier, *À l'intérieur du chien*
Jacques Tournier, *Le Marché d'Aligre*
Jacques Tournier, *Zelda*
Alain Veinstein, *La Partition*
Alain Veinstein, *Cent quarante signes*

PASCAL QUIGNARD

# DANS CE JARDIN
# QU'ON AIMAIT

BERNARD GRASSET

PARIS

IL A ÉTÉ TIRÉ DE CET OUVRAGE
CINQUANTE EXEMPLAIRES SUR VERGÉ RIVES IVOIRE CLAIRE
DES PAPETERIES ARJO WIGGINS
DONT QUARANTE-CINQ EXEMPLAIRES
DE VENTE NUMÉROTÉS DE 1 À 45
ET CINQ HORS COMMERCE NUMÉROTÉS DE H.C.I À H.C.V
CONSTITUANT L'ÉDITION ORIGINALE

Photo de la bande : Vilhem Hammershøi
Interior with piano and woman in black, (1901) Oil on canvas,
63 x 52,5 cm Ordrupgaard, Copenhague
Photo : © Pernille Klemp

ISBN : 978-2-246-81335-4
ISBN luxe : 978-2-246-86350-2

# AVERTISSEMENT

Au début du mois de décembre, quand les nuits se font tellement plus longues, chaque année, dans les moments où le rouge-gorge réapparaît avec l'hiver et hante en solitaire le jardin, s'empare tout seul de la rive, une dépression toute venimeuse et douce, brumeuse, insinuante, saisonnière, tourne autour de moi comme un nuage vague, finalement me prend. Puis elle s'appesantit. Elle se fait presque lourde, elle se transforme peu à peu en une véritable tristesse. Alors il me faut inventer une tâche. Il me faut tromper le temps, leurrer les heures, entrer dans mon lit, détripler les oreillers, amonceler les couvertures, repousser le froid. C'est ainsi qu'en 1989 j'ai eu le désir de raconter la vie d'un musicien qui me paraissait mal connu et qui avait composé de très beaux duos de violes dans les années 1680. On connaissait son nom – il s'appelait Monsieur de Sainte-Colombe – et j'inventais sa vie tout en frissonnant d'un peu de fièvre. Il vivait à l'écart de la cour, dans un ermitage solitaire, éloigné de Paris, sur le bord de la Bièvre. J'appelai cette tresse de fragments et de souvenirs *Tous les matins du monde*.

Vingt-cinq ans plus tard, en 2016, dans les mois d'octobre et de novembre, quand les pluies et le rhume revinrent, quand la gorge de nouveau se contraignit, serra, toussa, quand les fougères roussirent, quand les feuilles rouge sang de la vigne vierge de nouveau tombèrent d'un coup le long du mur de la maison principale, quand les feuilles d'or de l'érable plurent, j'ai éprouvé le besoin de duper la longue nuit d'hiver et j'ai ressenti le désir de raconter la vie d'un autre musicien qui me paraissait mal connu, que je jouais beaucoup, pour lequel me portait une sorte de vénération en raison de son attachement extraordinaire aux oiseaux. Pour la beauté de la nature cet homme d'Église avait délaissé Dieu. Il avait répondu à l'appel des chants de la forêt et des vagues des onze lacs glaciaires qui entouraient sa maison et qui formaient comme deux mains étranges. Ce sont les Finger Lakes, dans l'État de New York. Il avait noté des séquences de musique « sauvage », très brèves, très singulières. Son nom était Simeon Pease Cheney. Il vivait dans un presbytère isolé – pas très éloigné du port de New York –, à Geneseo. Il mourut en 1890.

Le révérend Cheney est le premier compositeur – que je sache – à avoir noté tous les chants des oiseaux qu'il avait entendus, au cours de son ministère, venir pépier dans le jardin de sa cure, au cours des années qui vont de 1860 à 1880.

Il nota jusqu'aux gouttes de l'arrivée d'eau mal fermée dans l'arrosoir sur le pavé de sa cour.

Il transcrivit jusqu'au son particulier que faisait le portemanteau du corridor quand le vent s'engouffrait dans les trench-coats et les pèlerines l'hiver.

J'ai été soudain ensorcelé par cet étrange presbytère tout à coup devenu sonore, et je me suis mis à être heureux dans ce jardin obsédé par l'amour que cet homme portait à sa femme disparue.

*

Le seul musicien qui ait pris au sérieux l'œuvre de Cheney est Dvorak.

9

Antonin Dvorak, alors qu'il prenait ses vacances dans un petit village de l'Iowa, tira sa chaise longue sur la pelouse. Il consacra tout l'été 1893 à lire – l'âme entièrement ouverte, le porte-mine pressé sous les doigts de sa main, les lignes mélodiques s'inventant sur ses lèvres – cet unique livre posthume de Cheney, *Wood Notes Wild*, qui venait de paraître à compte d'auteur, grâce aux soins de sa fille Rosemund, le compte ayant été soldé par elle sur ses pauvres deniers de professeur de chant et de violoncelle.

C'est ainsi que Dvorak a écrit – simplement en lisant le livre du pasteur de Geneseo, en prenant des «notes», ou plutôt en prélevant les notes des oiseaux qui peuplaient ses arbres et sa roselière – l'admirable quartuor à cordes n° 12.

\*

Cette double histoire – celle d'un vieux musicien passionné par la musique qu'adresse spontanément la nature sans se soucier des hommes, le destin d'une femme célibataire désirant à tout prix faire reconnaître l'œuvre méconnue de son père – prit en moi la forme non pas d'un essai ni d'un roman mais d'une suite de scènes amples, tristes, lentes à se mouvoir, polies, tranquilles, cérémonieuses, très proches des spectacles de nô du monde japonais d'autrefois.

*

Je remercie Pascale Arauz Aubrun qui m'a procuré, à la bibliothèque de l'École normale supérieure de la rue d'Ulm, la copie de l'édition originale de Simeon Pease Cheney, *Wood Notes Wild, Notations of Bird Music*, Boston, 1892.

J'exprime toute ma gratitude à Stéphanie Boulard, de l'Université Georgia Tech, à Atlanta, pour toutes les recherches qu'elle a menées sur la vie de Simeon Pease Cheney, à la Bibliothèque du Congrès, à Washington.

*

Dans un premier temps je voulais simplement jouer sans fin, en boucle, dans les brumes de l'automne, dans un bonheur hypnotique et ininterrompu, les 261 pages de ces « partitions des oiseaux » que le révérend de Geneseo avait notées

11

du bout de sa plume, avec son écriture minuscule, sur ses cahiers, cent ans avant que le grand génie que fut Olivier Messiaen en eut lui-même l'idée dans le jardin de Delamain. Puis ces pages poursuivirent, sur l'Yonne, les brouillards déchirés et les cygnes sur l'eau, errant, cherchant un peu de pain.

*

Enfin je veux recopier la phrase de Simeon Pease Cheney, qui se trouve à la page 3 de *Wood Notes Wild*, et qui m'a fait monter les larmes aux yeux quand je l'ai découverte : « Even inanimate things have their music. Listen to the water dropping from a faucet into a bucket partially filled. » (Même les choses inanimées ont leur musique. Veuillez prêter l'oreille à l'eau du robinet qui goutte dans le seau à demi plein.) Je n'ai plus cessé de jouer cette étrange mélodie tombant au fond d'un seau. Je l'ai incluse dans le spectacle de *La Rive dans le noir*, que j'ai créé avec Marie Vialle, avec Tristan Plot, avec une chouette effraie de six mois, et aussi un corbeau de douze ans, qui s'appelait Ba Yo, au festival d'Avignon, au début du mois de juillet 2016 et durant toute la tournée qui s'est ensuivie à Paris, à Toulon, à Malakoff, à Tarbes, à Tours, à Bordeaux, au Havre, à Caen, à Aix, à Châteauroux, dans les quatre premiers mois de 2017.

# CHAPITRE PREMIER

J'imaginais – au fond de mon repaire d'hiver –
une scène très obscure simplement divisée en deux
par une diagonale de lumière.

Cette diagonale était comme une longue baie
vitrée formant un effet de miroir, séparant le jardin
du révérend du salon de sa cure.

Juste à l'extérieur de cette diagonale qui divisait
la scène obscure : un arrosoir en fer-blanc.

Juste dans la part interne de cette diagonale : un
portemanteau couvert de pèlerines, de gabardines,
de manteaux, quelques chapeaux, un bonnet de
fourrure, une canne pour sortir.

C'est ainsi qu'un grand jardin se reflétait en
mirage sur la vitre.

À l'intérieur du salon, à cour, un vieux petit piano droit mouluré datant des années 1815 – qui datait de la guerre de l'Amérique contre l'Angleterre – avec des petits chandeliers en laiton ou en cuivre, qui entouraient le porte-partition, permettait au vieux pasteur de travailler, le soir, la nuit tombée, seul, en rentrant de l'office.

Il poussait la porte.

Arrivait dans l'obscurité un vieil homme amaigri, juste quelques cheveux blancs sur les oreilles. Le crâne nu brille sous la lune.

Il est habillé tout en noir. Il tient des lunettes cerclées de fer à la main. Dans le noir total il s'approche du vieux piano à cour.

Il prend une boîte d'allumettes. Il allume une à une, patiemment, les petites bougies d'anniversaire sur les girandoles articulées. Une fois étirées et développées dans l'espace, elles projettent leurs lumières sur les portées de la musique.

Cet homme noir dans le noir – à la fois âgé et presque invisible dans l'ombre et dans le temps – s'assoit sur la banquette du piano.

Voûté, à l'aide de ses vieilles lunettes d'acier toute rondes, il déchiffre la vie qu'il rapporte et il

interprète les petits lambeaux de partitions qu'il
a étalées sous ses yeux. Cet être obscur et lent,
presque inconsistant, est celui qui aide les disparus
à revenir.

LE RÉCITANT

Un pasteur américain, en 1860, a noté les sons que
les gouttes de la pluie faisaient retentir sur l'herbe et
les petits sentiers de graviers du jardin de la cure.

Il transcrit des mois durant, des saisons durant,
des années durant, tous les chants des oiseaux qui
viennent y nicher, se percher dans les branches, se
dissimuler sous les feuilles des arbres.

Il s'appelait Simeon Pease Cheney.

Le révérend Cheney vivait exactement au temps
où le pasteur Brontë finissait ses jours, alors que ses
trois filles et son fils étaient morts.

Le révérend a écrit dans un de ses plus beaux
sermons :

«Dieu dit dans Matthieu XIII, 9 :

Audiat ! Qu'il entende !

Celui qui a des oreilles, qu'il entende !

Il n'y a pas que les oiseaux qui chantent !

Le seau, où la pluie s'égoutte, qui pleure sous la gouttière de zinc, près de la marche en pierre de la cuisine, est un psaume !

L'arpège en houle, tourbillonnant, du porte-manteau couvert de pèlerines et de chapeaux, l'hiver, quand on laisse un instant la porte d'entrée ouverte dans le corridor de la cure, lui aussi constitue un Te Deum ! »

Je vais vous jouer le morceau de musique que fait le vent quand il s'engouffre dans le portemanteau du corridor de la cure.

Alors le récitant obscur se fait sombre interprète : il ouvre le clavier. Apparaît la bande étroite de velours brodée de fils de soie qui le protège.

C'est un long ruban somptueux et doux qu'il ôte.

Surgissent les touches d'ivoire et leurs lumières, celles d'ébène du vieux piano et leurs reflets.

Le révérend enroule lentement autour de sa main gauche la bande de velours brodée. C'est maintenant le dessous de satin vert qui tombe sous le regard.

Il pose ce petit cône de velours et de soie sur le dessus du piano droit. Il le pose auprès d'un petit cadre de buis où a été glissée la photographie de

Mrs Eva Rosalba Vance Cheney, morte en couches
à l'âge de vingt-quatre ans, barrée d'un petit ruban
de soie noire.
Tout à coup il penche son visage.
Il bombe les mains au-dessus des touches, dans
les lueurs des bougies dans le noir.
Il laisse le silence s'installer.
Il attaque. Il interprète entièrement la partition
de Simeon Pease Cheney qu'il a sous les yeux.

LE RÉCITANT

Parapluies, paletots, manteaux,
gabardines pâles du printemps,
gros pardessus d'hiver au col de martre ou bien
de zibeline,
pèlerines au col de renard,
chapeaux haut de forme, casquettes de fourrure,
gants de cuir,
grosses écharpes patiemment tricotées,
chacun de vous tous, vous avez votre chant.
C'est une susurration ou un frêle bruissement à
chaque fois singulier qui se propagent dans le cou-
loir et parviennent jusqu'au salon,
un son rapide qui se glisse entre les étoffes,

une dissonance particulière, chuintante, qui naît entre les laines et les feutres,

qui siffle sur les cirés noirs lisses, ou plus jaunes et huileux,

qu'étouffent les peaux des bêtes mortes et les dépouilles des lapins cousues et rapiécées les unes sur les autres.

Peu à peu la pénombre se défait. Une lumière pâle naît à jardin. Au loin, dans le jardin, arrive un homme âgé de cinquante-quatre ans, en redingote noire, le col blanc rigide, fermé, une longue barbe rectangulaire et blanche.

Tel apparaît le révérend Simeon Pease Cheney sur l'unique cliché photographique qui reste de lui. Il ressemble au magnifique daguerréotype de Schelling, en 1848, dans son salon de Berlin.

Le révérend tient entre ses mains une petite merlette blessée qui palpite et se plaint.

L'oiseau tout brun cherche un peu à voleter entre ses doigts. Simeon le retient dans les paumes refermées de ses mains ; il s'accroupit ; il l'introduit dans une petite cage de bois sur le bord de la scène ; il pose à côté de la cage un petit bout de bois ; il tire de la poche de sa redingote une petite pelote de ficelle ; il s'apprête à confectionner une attelle ; tout à coup il s'interrompt.

Mais, d'abord, il faut que je te prépare une bonne petite bouillie !

Le révérend se lève, quitte la scène à cour, dans les lés noirs des rideaux qui l'entourent.
Il revient avec un bol, mélangeant une bouillie de mie de pain et de lait à l'intérieur du petit récipient de faïence. Visiblement il pense à tout autre chose qu'à sa petite cuillère qu'il tourne et qu'il retourne. Il erre dans la pièce comme un homme qui rêve, comme un homme qui s'entretient avec lui-même, comme un homme qui fait visiter une vieille maison, comme un homme qui se souvient d'un univers et qui cherche à s'y déplacer.

Là, il y avait un grand fauteuil auprès de la fenêtre, auprès de la lumière du jour.

Là, c'était une petite chauffeuse de velours jaune devant le feu.

Je me souviens de façon si précise de ce moment où j'étais heureux.

C'était en 1842, c'était en 1843. J'étais heureux. J'étais infiniment heureux.

À vrai dire ma jeune épouse avait à peine pris le temps d'aménager la cure. Elle s'était tout de suite entichée du jardin. Elle s'en est occupée tout au long du printemps.

Un seul printemps. Le printemps suivant...

Le révérend éclate en sanglots. Il cherche à s'asseoir.

Il s'assoit près du récitant, sur la banquette du piano, son bol à la main.

SIMEON

Quand elle a accouché d'une petite fille qu'on appela Rosemund, juste au printemps suivant, elle est morte. Elle est morte dans le lit juste après l'accouchement.

De notre lit, par la fenêtre, elle voyait bourgeonner le second printemps de notre vie conjugale.

Les oiseaux commençaient de chanter.

Elle était à proprement parler *enchantée* quand elle a découvert la profondeur du jardin, jusqu'au petit bois, jusqu'à l'étang.

Ma femme était toujours dehors. À vrai dire c'est moi qui m'occupais de la maison, qui faisais la cuisine, qui restais dans mon bureau pour composer mes sermons, qui ouvrais la porte-fenêtre du salon pour recevoir les paroissiennes.

C'est moi qui faisais le thé, qui offrais les tuiles pleines de beurre et craquelantes de sucre, les biscuits, les langues-de-chat, les pains d'épice, le pudding des jours de fête. Elle, elle était toujours fourrée au jardin. Elle était heureuse en poussant sa brouette, avec sa bêche à la main, ses ciseaux, sa serpette, son arrosoir…

LE RÉCITANT

Elle a relevé ses cheveux sous le chapeau de paille.

Au bout du jardin,
là où croissent les saules, les coudriers mêlés d'aubépine,

là où les pieds trébuchent dans les menthes,
à un mètre ou à un mètre et demi de l'étang,
en présence de la famille,
a été versée l'urne.

Dans l'étang
il a jeté sa femme.
L'époux a fait couler doucement sur l'eau les cendres de celle qu'il aimait,
il a versé son regard,
il a répandu son souffle,
il est monté sur le canot arrimé par une chaîne à la rive,
en élevant sa main il a éparpillé sa vie encore tiède, son corps encore presque intact sur la surface grise au-dessus de l'eau sombre
près de la rame noire.
Les cendres dispersées dans le souffle du soir peu à peu se sont humectées,
lentement, lentement, au contact de l'eau,
puis englouties.
Elles se sont progressivement effacées à l'intérieur de l'eau où les petites ablettes et les petits goujons ont ouvert leurs lèvres.

Ils ont des lèvres curieusement bourrelées et blanches, les poissons.

C'est ainsi qu'une jeune femme aux cheveux bruns, si belle, a disparu sous la surface calme et grise.

Elle venait d'acccoucher d'une petite fille
qui est restée seule dans la chambre,
dans son berceau.

Ce fut ainsi qu'une toute jeune mère disparut sous les reflets immobiles des branches que projettent les arbres,

qu'elle disparut sous les reflets des nuages blancs qui passent sur l'étang et qui y répercutent leur contours,

qu'elle disparut sous les reflets des rayons dorés du soleil qui percent entre les feuilles.

Elle est disparue, la femme que tu aimes,
dans la mare,
près du canot,
au cœur du jardin qu'elle aimait.

Devant le grand buisson de roses qu'elle a planté
– impossible de parler.

Devant l'arbre qu'elle a planté à cause de son nom, Eva Rosalba Vance Cheney, le sorbier des oiseleurs,

si près du chêne le robinier,

les saules, les coudriers, les joncs, sur le petit sentier de la rive – impossible de s'en aller.

Impossible de s'en aller, je m'assois sur le banc jusqu'à ce que la nuit m'enveloppe.

Je ne suis pas malheureux à l'intérieur de ma tristesse.

Je suis même, pour ainsi dire, enchanté dans ce jardin qu'on aimait.

Dans ce jardin qu'on aime et dans le chant qui reste, je suis heureux.

Même, je suis vraiment heureux dans le jardin qu'elle aimait car, quand je suis dans son jardin, je suis comme contenu en elle,

je suis à l'intérieur d'elle

vivante

vivant.

Le révérend se lève dans le noir. Il tourne de nouveau sa cuillère dans le petit bol plein de gruau.

Mon épouse avait de petits seins blancs recourbés. Elle avait de beaux cheveux bruns aux reflets noirs et roux.

Elle se plaisait à fumer après le déjeuner des petits cigarillos qui venaient des Antilles.

Elle laissait la fumée accomplir tout son chemin au fond de son corps élancé, loin derrière son corsage, sous son collier, sous ses seins incurvés, bombés et doux.

Longtemps après, sa bouche merveilleuse laissait s'échapper la fumée pâle,

lentement, sans souffler,

elle longeait tout d'abord ses lèvres entrouvertes.

Les spirales grises et jaunes s'enroulaient autour de sa joue toute ronde,

contournaient son oreille lentement,

le lobe, puis le pavillon,

se glissaient dans les macarons châtains et roux et noirs de ses cheveux

et elles s'y immobilisaient exactement comme la brume dans les épines des buissons qui longent la rive et l'embarrassent

et elle, elle, elle,

elle rêvait à je ne sais quoi.

Elle se tenait toujours très droite.

Elle se tient toujours très droite dans mon âme, Eva Rosalba Vance Cheney. Elle a vingt-quatre ans. Elle est si grande et fine. Elle a un grain de beauté sur l'épaule.

Elle pesait cinquante-sept kilos, peut-être cinquante-huit, peut-être soixante.

Ses cheveux bruns et roux sentaient un peu, perpétuellement, l'orange et le parfum des mûres et le tabac qui venait des Antilles.

Le bout de ses doigts, au bout de ses mains si effilées, dépassait à peine du bord des gros chandails de laine qu'elle tricotait elle-même pour aller au jardin hiver comme été.

Elle enfilait une sorte de pantalon d'homme dont les poches flottaient autour de ses genoux.

Pauvre pantalon de toile bleue qu'elle ne se donnait jamais la peine de repasser.

L'ourlet était couvert de terre.

Le révérend se retrouve près de la cage où attend la petite merlette brune blessée.

Il s'agenouille, il ouvre la porte.

Il donne à manger à l'oiseau, qui pousse ses petits cris de joie et de satiété.

Plus tard il se relève.

Tous les matins, à neuf heures et demi, Eva rentrait, elle se faisait un petit coupe-faim, elle mangeait un œuf sur le plat, elle se servait un petit verre de vin.

De la salade cuite froide.

Ou parfois elle mangeait un artichaut et empilait les feuilles devant elle, calmement, dans un bol.

Je la vois.

Elle saupoudre le bord de l'assiette d'un peu de sel de la mer.

Le soir, en guise d'apéritif, après avoir préparé le dîner, en attendant que je revienne de l'église, ou de la poste de Geneseo, ou de la pharmacie, ou de chez une de mes paroissiennes, ou du bureau du shérif, elle mangeait six amandes. Jamais une de plus.

Si elle tombait sur des philippines, elle me conservait la partie la plus grosse, la demi-graine recroquevillée. On la croquait ensemble et on faisait un vœu. Elle me servait un petit ballon de vin cru du fermier du village. Je me précipitais sur les amandes grillées. Moi, je les saupoudrais de sel. Je lui disais :

— Mange un peu. Un coup de vent t'emporterait.

Elle répondait :

— Pourquoi un coup de vent ? Il suffit que tu ouvres la porte du jardin.

# CHAPITRE II

Brusquement la lumière de midi inonde le fond de la scène.

Rosemund Cheney surgit à bicyclette.

Elle freine, elle pose l'engin sur son pied, va à la sacoche arrière, sort un gros sac d'épicerie marron.

Elle a vingt-huit ans. Elle rentre de l'épicerie-pharmacie de Geneseo.

La jeune fille franchit la porte-fenêtre laissée ouverte. Elle dépose tout ce qu'elle a acheté sur la table. Elle commente ses achats.

ROSEMUND

C'est un nouveau pain de savon. Ça sent l'essence de thym.

La fille du révérend Simeon Pease Cheney brandit le pain de savon.
Miss Rosemund Eva Cheney le tend à son père.

ROSEMUND

Papa ! Sens-moi ça !

Le révérend s'approche de sa fille.

SIMEON

Oui, ma toute petite.

ROSEMUND

Regarde comme ça sent bon !

Elle met le pain de savon sous le nez de son père.
Le révérend renifle, il n'a pas l'air si convaincu que cela.

Oui, si on veut.

ROSEMUND

Moi j'aime beaucoup.

Je ne sais plus où j'ai lu que le musc, l'ambre gris, le clou de girofle, la rose de Damas, le bois de santal, tel est l'unique pèlerinage qui est consenti à une vie humaine.

Cinq stations. Cinq odeurs. Pas une de plus.

SIMEON

Répète !

La jeune femme compte. Elle s'aide des cinq doigts de la main.

ROSEMUND

1. Le musc, 2. l'ambre gris, 3. le clou de girofle, 4. la rose de Damas, 5. le bois de santal.

SIMEON

Ce n'est pas très pieux, ton pélerinage !

ROSEMUND

Je n'ai pas dit que c'était parole d'Évangile. C'est purement et simplement scientifique. J'ai lu cet article, ce matin, dans le journal local de la municipalité de Geneseo.

SIMEON

Rosemund !

ROSEMUND

Oui.

SIMEON

Rosemund, ma fille !

ROSEMUND

Oui.

SIMEON

Je voudrais que tu partes.

ROSEMUND

Que je parte ?

SIMEON

Oui.

ROSEMUND

Que je m'en aille ?

SIMEON

Oui.

ROSEMUND

Que je quitte la maison ?

SIMEON

Oui.

ROSEMUND

On peut savoir pourquoi ?

SIMEON

Je ne veux plus te voir.

Toute la scène est brusquement plongée dans le noir le plus pur, le plus dense.

LE RÉCITANT

Partout les moucherons tournoyaient et mouraient. Toute la journée il avait plu. C'était une pluie étrange toute chaude, verticale, sans que le moindre souffle de vent en modifie l'extraordinaire écroulement sur les cyclamens écrabouillés et l'herbe.

Mais curieusement cette pluie lente ne gênait pas les oiseaux qui volaient.

Tout le long du sentier, dans les buissons, sous ce que l'été a laissé de ramure, dans les branches basses des arbres, les oiseaux chantent encore.

Pourtant dans leur chant, dans leur mélodie, dans l'arrivée de l'automne, chaque année quelque chose se décompose.

Quelque chose se tait progressivement, se dépareille, s'effondre dans l'automne.

Je ne sais comment dire ce que j'éprouve alors, moi qui vous parle dans l'obscurité.

Ce qui brille étincèle toujours un peu mais le soleil est bas, moins jaune.

Sa luminescence est plus faible et pourtant les ombres qu'il lance sont plus longues derrière les corps, les troncs, les arbres, le puits, les murets qui enclosent le jardin.

L'eau de la rivière est plus fraîche.

Comme les arrosoirs sont devenus inutiles !

On se prend à penser : Pourquoi les arrosoirs existent-ils alors qu'il pleut tellement ?

Les joues du père sont froides quand sa grande fille s'approche le soir et les embrasse. Même sa barbe est plus fraîche, plus hérissée, plus piquante.

L'herbe est trempée et les semelles du père et de la fille qui rentrent par la porte-fenêtre laissent des traces humides partout sur le carrelage.

Le nez coule.

Une odeur de champignon délicieuse s'élève quand on marche dehors et qu'on rentre en direction de la maison en soulevant un peu de terre à chaque pas.

C'est un parfum de mousse, de feuilles détrempées, de fougères rousses, de limace, de bière.

Accroché au muret du jardin, au moindre rayon fragile de soleil, le lierre sent le miel.

Seuls les oiseaux nocturnes, la nuit, expriment, sans beaucoup les varier, leurs pépiages si bas, si beaux, si pauvres, si étranglés, si brefs.

Fragments sonores qui sont comme écourtés, arrêtés sur place devant l'hiver qui vient.

Mélodies qui sont comme déjà transies.

Le vieux musicien presque invisible joue au piano le cri spécifique de la chouette chevêche dans la notation de Simeon Pease Cheney.

L'air déchirant s'éteint dans la nuit qui finit.

L'aube naît progressivement, en silence, sur le jardin à jardin.

Rosemund Cheney arrive avec sa valise, la pose devant la baie vitrée à peine touchée par le rose de l'aube.

Elle place la valise tout près de l'arrosoir.

La jeune fille se tourne vers son père assis dans son fauteuil, plus ou moins endormi, dans l'ombre de la fin de la nuit.

ROSEMUND

On peut se parler ?

Le révérend, hirsute, en chemise de nuit, les pieds dans ses pantoufles, se frotte les yeux.

Il semble fatigué. Il se redresse dans le grand fauteuil.

Soudain il a l'air excédé.

SIMEON

Est-ce nécessaire ?

ROSEMUND

Oui. C'est nécessaire.

Rosemund s'accroupit devant son père, prend ses mains dans ses mains. Elle supplie. Elle parle tout bas.

ROSEMUND

Papa, qu'est-ce que j'ai fait ?

SIMEON

Rien. Tu n'as rien fait.

ROSEMUND

Alors pourquoi tu me chasses ?

SIMEON

Sois rassurée ! Rassure-toi, ma petite rose ! Tu n'as rien fait de mal, ma petite...

ROSEMUND

Alors pourquoi tu me dis tout à coup : Allez, ma fille, débarrasse-moi le plancher ?

SIMEON

Oui, c'est un peu ce que j'ai dit.

La fille lâche les mains de son père, cache ses yeux dans sa main.

Elle s'effondre en pleurs silencieux, longtemps, assise sur ses deux fesses, dans le rond de sa robe, à ses pieds.

Au fond de la scène, à jardin, dans le jardin, l'aube, de plus en plus rose, se lève.

ROSEMUND

Pourquoi alors ? Pourquoi tu ne m'aimes plus ?

41

Si, je t'aime.

Alors ?

De nouveau, c'est un long silence, juste le temps
que l'obscurité se dissipe entièrement et que le jour
se fasse.
Rosemund lève son visage vers Simeon.
La jeune femme regarde son père dans la lumière
de l'aube qui vient peu à peu rayonner sur eux.
Il la regarde à son tour.
La robe et le gilet rougissent peu à peu dans le
matin.
La jeune femme est magnifique.

Tu veux vraiment qu'on parle de cela, ma petite ?

ROSEMUND

Oui. J'en ai besoin.

SIMEON

Quel âge vas-tu avoir ?

ROSEMUND

Vingt-huit ans.

SIMEON

Quel âge avait ta mère quand elle est morte ?

ROSEMUND

Vingt-quatre ans.

SIMEON

Voilà la raison. Tu es plus vieille que ta mère quand elle est morte soudain. Quand elle est morte dans mes bras, tu naissais. Elle n'a même pas eu le temps de te nourrir…

Sa voix se brise.
Le révérend parle plus fort, de plus en plus fort, il se lève.

SIMEON

En plus, tu lui ressembles de plus en plus. Tu lui ressembles – avec retard – de plus en plus ! (Il crie.) Tu ne peux pas savoir combien ça m'est insupportable de te voir vivante !

C'est même intolérable, non pas de vieillir pour ce qui me concerne, non pas de devoir mourir pour ce qui me concerne, mais de te voir vieillir !

Rosemund hurle longuement de douleur.
Elle se met à quatre pattes, se lève à son tour, tourne dans le salon de la cure, devenu complètement rouge dans l'aurore.

ROSEMUND

Ça t'est vraiment insupportable de voir ta fille vivante !

Immobile, dans sa grande chemise de nuit blanche, comme s'il s'agissait d'une espèce de spectre dans l'aurore, le père regarde sa fille tourner sur elle-même comme un tigre dans sa cage, comme une oursonne dans sa cage, au milieu du salon, dans la douleur.

Subitement il la prend dans ses bras et arrête sa danse.

SIMEON

J'aimais ta mère.

ROSEMUND

Et tu ne m'aimes pas.

Oh! Rosemund! Aimer une femme ce n'est pas aimer une petite fille. Tu es forcément capable de comprendre! Serais-tu encore trop naïve pour être capable de comprendre? Ce n'est pas que je ne t'aime pas, ma petite rose, ma toute petite enfant. C'est que je suis prisonnier d'un autre labyrinthe. Un labyrinthe où tu n'es pas. Un labyrinthe dont il faut que tu t'échappes.

Une cure qu'il faut que tu quittes.

Un jardin dont il faut que tu te libères.

Le merveilleux jardin de mon épouse, pour moi, est devenu une *prison* dont il faut que tu t'évades!

Prison? Ô mon labyrinthe de buis, de coudriers, d'aubépine, de rivière et de joncs où, moi, moi, je suis si heureux.

ROSEMUND

Toi, heureux?

SIMEON

De plus en plus heureux.

46

ROSEMUND

Je ne comprends rien à ce que tu me racontes.

SIMEON

C'est cette maison, mon labyrinthe. C'est ce jardin, mon labyrinthe. Ce n'est pas elle, en personne, Eva, ta mère, bien sûr, je ne suis pas fou. Mais ce jardin, c'est elle qui l'a conçu, c'est son visage. Car c'est un visage, un jardin ! Ce n'est pas un parterre de fleurs. Ce n'est pas seulement un potager. Ce n'est même pas un dépôt de lys, de chrysanthèmes et de glaïeuls magnifiques qu'on coupe pour mettre dans les vases des chapelles en l'honneur des saints martyrs du calendrier,
sur la nappe de l'autel en l'honneur du sacrifice de Notre Seigneur,
sur les dalles des tombes en l'honneur des morts familiales.
C'est un merveilleux visage invieillissable.

Ô merveilleux visage qui même rajeunit tous les jours.

Qui embellit à toutes les saisons.

Dédale de plus en plus beau dans lequel je me perds.

Dont je préserve toutes les essences.

Dont je multiplie les couleurs.

Dont je garde dans des enveloppes toutes les graines une à une, sur lesquelles je note leur nom savant.

Dont je me suis mis à noter tous les chants qui s'ébrouent et vivent sur les branches.

ROSEMUND

Je n'existe pas. Cela me rend malade.

SIMEON

Oui, je conçois ce que tu peux éprouver, Rosemund. Ou plutôt j'imagine ce que tu ne *peux pas* imaginer. C'est pourquoi je pense que le mieux serait que tu t'en ailles. Tu peux très bien enseigner le solfège et le piano et le chant dans n'importe quelle autre ville qu'ici. Tu peux l'enseigner à Rochester. Tu peux l'enseigner à Meredith. Tu peux même l'enseigner dans le petit port de New York qui donne sur l'océan Atlantique. Tu vieillis. Tu vas finir vieille fille. Tu vas t'aigrir. Va-t-en ! Je n'ai pas besoin de toi. Je n'ai jamais eu besoin de toi. Va-t-en. Va-t-en.

ROSEMUND

Tu deviens fou. Tu me parles d'un jardin-musée qui n'a rien à faire avec moi. Ce n'est qu'un mauvais prétexte que tu me donnes. Tu veux épouser quelqu'un ?

SIMEON

Non. Certainement non.

ROSEMUND

Pourquoi tu ne t'es pas remarié ?

SIMEON

Je n'aimais qu'elle. Je n'aime qu'elle. Je ne sais pas comment t'expliquer. Cela ne s'explique pas, l'amour. Je vais te dire, cela peut être absolu,

49

l'amour. Cela peut être sans terme, l'amour. Celle que l'on aime peut être sans aucune rivale possible. Laisse-moi avec elle maintenant.

ROSEMUND

Mais, papa, tu deviens fou. Je ne sais pas si tu saisis bien ce que tu es en train de faire. Tu me chasses parce que ma mère est morte il y a trente ans !

SIMEON

Il y a vingt-huit ans.

ROSEMUND

Il y a vingt-huit ans. Tu es un vieil homme fou. Fou.

SIMEON

Oui.

ROSEMUND

Qu'est-ce qu'il y a de pire pour une fille que d'être chassée par son père ?

SIMEON

Sans doute. Peut-être. Écoute.
Cela va être plus pénible encore à entendre mais écoute.
Un jour, au fond du deuil, toute mort a une cause. Tu es cette cause. Sans toi elle vivait.

ROSEMUND

Tu es cruel.

SIMEON

Tu n'y es pas pour grand-chose en effet. Tu naissais.
Mais même si tu n'y es pour rien, ma petite fille, tu naissais.
Tu es devenue pourtant à mes yeux beaucoup trop belle.

51

Tu es devenue peut-être plus belle qu'elle n'était. Plus belle même qu'elle-même sur la photo posée sur le piano. Au fond de moi elle est jalouse. Tu as passé son âge. Tu es devenue comme une sorte d'ennemie.

ROSEMUND

C'est insensé.

SIMEON

Non, ce n'est pas dénué de raison, ma fille, je te le jure. J'éprouve ce que je dis.

Le révérend se tait tout à coup.
Il revient à son fauteuil.
Il s'assoit dans le fauteuil et garde le silence. Il est épuisé.

ROSEMUND

Tu me veux loin de toi.

Oui.
Je te veux loin d'ici.
Et ailleurs qu'ici.

Alors Rosemund Cheney se met à pleurer doucement, comme une petite rivière s'écoule dans les
herbes, sans cacher ses yeux.
Sans pudeur, pleurant elle s'avance, approche de
la cage où se trouve la merlette blessée sur le bord
de scène.
Elle s'accroupit. Elle saisit la cage avec les deux
mains. Elle la tient contre ses seins.

LE RÉCITANT

Le cœur humain pressent qu'il y a un joyau
enfoui sous les fourrures, sous les carapaces, sous
les plumes, sous les vêtements.
Petit cœur,
pauvre oiseau qui chante à peine sous la peau,
mais qui tressaille, qui sursaute sous le sein !
Pauvre oiseau aussi qui se blottit si soudain entre
les jambes,

qui bouge tout à coup !

La chair d'une jeune fille même très pudique ne peut pas vivre sans cesse recouverte.

On ne peut pas sans cesse remplacer sa mère dans l'esprit de son père.

On ne peut pas sans cesse le servir.

Les filles n'ont pas à faire office de veuves pour leurs pères devenus solitaires.

De cuisinières pour leurs repas, de domestiques pour leurs besoins, d'infirmières pour leurs souffrances.

SIMEON

Tu prends même la cage !

ROSEMUND

Oui. Je prends cet oiseau et je prends cette cage. Tu m'as dit que c'était pour moi que maman avait acheté cette cage autrefois.

SIMEON

Il y a vingt-huit ans.

ROSEMUND

Tu as les oiseaux du jardin !

SIMEON

Oui.
Elle va poser la cage de la merlette brune auprès de sa valise.
Elle se tourne vers son père dans un subit sursaut de fierté.

ROSEMUND

De toute façon je voulais partir. Je comptais aller enseigner la musique dans une grande ville.

Je n'envisage pas (avec une violence soudaine) de me toucher, toute seule, au fond de mon lit, toute ma vie, en redoutant que tu m'entendes !

SIMEON

Pourquoi parles-tu comme cela ? Pourquoi parles-tu comme cela à ton père ?

ROSEMUND

Depuis que je suis petite, j'ai l'impression que je n'existe pas. Quand j'entre dans la pièce où tu travailles, j'ai l'impression que tu n'es pas là.

Quand j'entre dans la maison je n'entre pas dans ma maison.

Je suis comme une invitée.

Parfois j'ai envie de sonner à la grille ! C'est terrible, tu sais.

SIMEON

C'est vrai, je suis souvent absent à ce que tu vis. Je vais même te dire, mon enfant, tu es mon enfant mais cela ne m'intéresse pas. Ta vie n'est pas ma vie. C'est elle, ma vie ! Je l'aime. Je ne veux pas rater son souvenir. Je suis sous son regard.

Je ne veux pas laisser mourir sa mort.

Elle était si joyeuse, si déterminée, si indépendante, si puissante.

Si longue, si élancée, si belle !

Je la protège peut-être, tu sais. Je la soutiens.

Tu sais, je pense que je la fais vivre plus longtemps que sa vie !

Je veux rester seul dans ce qu'elle a le plus aimé.
Son jardin, son oseraie, sa roseraie, sa barque,
ses repas, ses manies, ses recettes, ses lumières…

ROSEMUND

Et moi, elle ne m'a pas aimée peut-être ?

SIMEON

Une heure ! Ma pauvre fille ! Tu as été désirée
neuf mois et tu as été aimée une heure ! Qu'est-ce
qu'une heure ? Tu t'en souviens, de cette heure ?

ROSEMUND

Non.
Tu n'as pas dit adieu assez vite, papa.

SIMEON

Peut-être. Mais tu vois, Rosemund, Rosemund,
regarde-toi !

Le révérend se lève soudain, il court sur la scène en chemise de nuit, il prend sa fille par les épaules, il la conduit de force devant la diagonale de lumière qui répercute sa silhouette comme si la vitre était un miroir.
Il la force à se regarder dans ce miroir.

ROSEMUND

Et alors… C'est pas mal ! C'est moi ! C'est moi Rosemund !

SIMEON

Non (tout bas) ce n'est pas toi. Tu es sublime. Hélas non, ce n'est pas toi. C'est celle dont tu as surgi que je vois dans la glace vide !

Le révérend est agité.
Il part chercher quelque chose à cour, derrière le piano, dans le noir.
Il revient avec une boîte en écailles, il fait s'asseoir sa fille de façon solennelle dans le fauteuil où il était assis précédemment.
Il ouvre la boîte en écaille.

Il sort les objets un à un.
Il les compte.

SIMEON

Je te donne :
1. La gourmette de la nouveau-née que ta mère avait fait faire avant que tu la tues !
2. La médaille de ton baptême il y a maintenant vingt-huit ans de cela.
3. La timbale en argent offerte par ta marraine Tessy.
4. Le coquetier gravé aux initiales de ton nom qui, hélas, par ma faute, contient son nom à elle, Eva.
5. Le petit collier en or de ta communion solennelle.
6. Tous les bijoux de ta mère sauf ceux qu'elle avait autour de son cou, à son poignet, sur les doigts de ses mains quand la mort l'a prise soudain dans le lit de la chambre auprès de ton berceau.

Rosemund ne dit pas un mot.
Elle regarde longuement son père en silence.
Elle avance ses mains et elle prend la boîte en écaille et elle se lève.

Rosemund se dirige vers la porte-fenêtre, s'accroupit de nouveau près de l'arrosoir, rouvre la valise, range la boîte en écaille au fond de la valise, la referme, se relève.

Elle prend dans une main sa valise et dans l'autre saisit la poignée de la cage.

Elle franchit la diagonale de lumière.

Elle s'en va dans la lumière franche de l'aube.

Rosemund prend la diligence du matin.

# CHAPITRE III

La scène est noire. C'est un noir total.

Quelle étrange substance que la nuit chaque jour !

Quelle singulière matière imprègne alors la nature et avale le monde !

Au terme de chaque jour ce noir qui commence paraît ne pas avoir de terme quand on fixe des yeux l'extrémité de l'espace.

Au début de chaque hiver la nuit fait craindre d'être plus dense. Elle menace de ne plus jamais s'interrompre et de devenir infinie.

Il se retrouva seul. Il ne s'occupait plus beaucoup des paroissiennes ni des paroissiens. Il était heureux.

Il se sentait extraordinairement libre.

Il n'y avait pas assez d'heures dans ses journées pour noter sur ses carnets et sur ses petits feuillets de partitions tout ce qui l'enchantait.

Il notait le clapot de la pluie dans la mare.

Le cliquetis de la chaîne de fer du puits qui cogne contre l'étrange cloche du seau vide qui descend dans l'ombre verticale du cercle des pierres.

Il notait le battement de la porte des chiottes faites en pauvres lattes de bois ajourées, à l'entrée du jardin, près du compost, qui bat dès qu'il y a du vent, et l'attache de laiton qui tinte quand on la referme sur soi et qu'on s'accroupit sur la fosse de la tinette.

Il restitue les mutiples et petites gouttelettes de sons du pétillement du feu,

le bois qui claque,

et le subit essor des flammes qui fusent quand la bûche cesse tout à coup d'être humide, quand elle s'embrase, dans un grand souffle imprévisible, au fond de l'âtre, comme un dieu qui passe.

Il inscrivit des souvenirs, des remembrances connues de lui seul, dédiées à elle seule, des petites scènes secrètes.

Il écrivait le plus souvent les yeux humectés de larmes.

Le froissement des jupes, jupons, robes qui se détachent du ventre quand on relâche les cordons et qui tombent lourdement sur le parquet de la chambre conjugale.

La grande flamme blanche du corps merveilleux de femme qui se dresse au-dessus des étoffes et qui les enjambe.

Tout à coup, les souliers qui s'affalent dans un bruit prompt et sourd.

Subitement, au cœur de la nuit, l'urine de la femme qu'on aime qui ruisselle dans le grand pot de chambre en faïence après qu'elle a ôté le couvercle de bois dans le recoin du mur.

Il est possible que l'audition humaine perçoive des airs derrière la succession des sons de la même façon que l'âme humaine perçoit des narrations au fond des rêves les plus chaotiques.

De la même façon que l'espèce humaine hallucina des silhouettes d'animaux dans les astres nocturnes quand elle leva son visage dans les ténèbres durant les premiers temps où les hommes se dégageaient des animaux et où les animaux venaient hanter les hommes qui les dévoraient et obséder les dessins des hommes qui les voyaient revenir dans leurs rêves en leur adressant des terrifiants reproches.

En quoi ces fantômes de sens, qui ne touchent en aucune façon aux éléments du réel, ôtent-ils leur beauté aux images irrésistibles qu'ils présentent à nos yeux pendant la nuit?

Ces phosphorescences, ces luisances, ces formes instables qui se transforment toutes seules, spontanément, sidèrent durablement ceux qui les voient contre leur gré dans leur sommeil.

Pourquoi échapperaient-elles à la violence des émotions qu'elles provoquent?

Et, même, en quoi se distinguent-elles des mouvements étranges et solennels des danses où elles se transportent sous les ailes des abeilles, sous les talons des enfants, dans les deux cuisses de l'arrière-train des lapins qui sautent, dans les grandes enjambées que font les femmes qui courent dans la rue vers leur amour, dans le derrière trémulant et la queue frémissante des chats qui s'apprêtent à bondir pour investir, tout à coup, avec la plus grande élégance possible, comme des oiseaux en fourrure, les branches, les gouttières, les cheminées, les toits que nous autres, les hommes, ne pouvons pas atteindre ?

De noire, toute la scène devient blanche. Il disait : Una lentezza meditata. C'est un blanc épais comme du riz ou comme de la farine. Comme le blanc dont le peintre Giorgio Morandi saupoudrait les fleurs vivantes, les cruches et les vases avant de commencer à les peindre, dans les deux petites pièces de son atelier, sur la colline si douce et tranquille qui descend vers le cœur de la cité de Bologne.

Le recteur de la paroisse de Geneseo pousse la grille et arrive par le jardin sous la neige.

Simeon accroche au portemanteau sa pèlerine couverte de neige.

Il ôte sa toque de fourrure. Il la frappe du dos de sa main. Il fait tomber la neige.

Il va se recoiffer consciencieusement devant la ligne de lumière. Il tâte son vêtement.

SIMEON

Il faut que je me change. Mes épaules sont trempées. J'ai le dos glacé.

LE RÉCITANT

Il faut qu'il se change. Ses épaules et ses omoplates sont gelées. Sa redingote est tellement vieille mais il ne veut en aucun cas en acheter une nouvelle. Il a le dos tout froid. Plus personne n'est là pour s'occuper dans la journée, ni dans la soirée, ni dans la nuit, dans le noir sans fin de la nuit, de la maison du révérend de la paroisse de Geneseo devenu une sorte d'ermite solitaire. Plus personne n'est là pour repriser ou pour broder les coudes de ses manches. Plus personne n'est là pour repasser et pour blanchir le col de sa chemise.

Le révérend sort la montre ronde au verre bombé de son gousset et la pose sur le vieux piano droit.

Il n'est que cinq heures. Déjà on ne voit plus rien. Que cet hiver est froid ! Il est l'heure de faire chauffer l'eau du thé, et il faut déjà allumer les bougies du piano du président Jackson.

Le réverend prend la boîte d'allumettes, fait glisser le couvercle, prend un bois d'allumette, craque l'allumette, allume une à une les petites bougies sur les girandoles de cuivre qui entourent les partitions. Il repose la boîte d'allumettes sur le dessus du piano. Son regard s'arrête sur la photographie posée sur le vieux piano droit qui date de la guerre anti-anglaise.

Il saisit le petit cadre de buis, barré de soie noire, dans ses mains.

Il approche de ses yeux la représentation du beau visage de son épouse alors âgée de vingt-trois ans.

LE RÉCITANT

Il contemple le beau visage de son épouse à l'âge de vingt-trois ans.

Il semble se taire en contemplant le portrait ancien. En vérité, des paroles ruent au fond de lui. Il se marmonne et se bouscule au fond de lui des choses qui ressemblent à ceci : Ô mon épouse, vous qui êtes morte dans le lit de notre chambre en accouchant de la petite, nous nous sommes à peine connus.

J'aurais tellement aimé vous aimer autant que je le fais, mais vivante.

J'aurais tellement aimé vous aimer longtemps vivante.

J'aurais tellement aimé vous aimer toute ma vie.

Sans cesse disparu, le chemin
    où nos pieds s'enlisaient les derniers jours dans le parterre du jardin,
        quand vous étiez si enceinte, si lourde,
        avec un si gros ventre que vous le souteniez sous vos longues mains couvertes de moufles,
        petites moufles aussi roses que votre petit nom,
        Eva Rosalba Vance,
        trottant dans la bouillasse,
        sous l'averse de neige.
    Les traces de nos souliers s'effaçaient aussitôt dans la poudre floconneuse qui tombait, qui accumulait le silence.

Vous n'êtes pas revenue vivante des cris que vous poussiez
quand la sage-femme sortait de vous ce minuscule enfant.

Le pasteur ôte sa redingote, déboutonne sa chemise.
Torse nu, il enfile une robe de chambre qu'il sort de l'armoire.
Maintenant il sort de l'armoire les vêtements de son épouse. Il dispose les vieux vêtements de sa femme sur la table.

SIMEON

J'aimais tellement cette robe.

LE RÉCITANT

Les rêves ne sont pas seulement des désirs qui se libèrent des contraintes du jour,
ou qui trompent la faim que l'on peut ressentir au cœur du sommeil et qui menaceraient de l'interrompre,
ou qui éconduisent dans le gosier la soif,

ou qui leurrent les envies soudaines, les impatiences inexplicables qui montent du corps.

Que sont les songes ?

Les songes sont surtout des retours,

d'étranges récurrences où ce qui est devenu invisible réapparaît comme visible sans qu'il atteigne pourtant le réel ni le jour.

De mystérieuses renaissances où la forme des corps s'élève au-dessus des cendres.

Où les pousses percent la couche du grésil comme les crosses des fougères la surface de la neige.

Où les visages absents font retour dans les flammes des bougies,

où les êtres disparus frissonnent dans les flammes ardentes des cierges dans l'obscurité de la nef,

ou tremblent sous la lueur du croissant de la lune dans le ciel noir.

Quelle mystérieuse marée montante que ces images qu'on voudrait cesser de voir et qui assaillent,

portées par un vent aussi intangible qu'il est invulnérable,

dont on ne peut se protéger en aucune manière,

aussi inempoignable, aussi inconsistant qu'il est imprévisible !

L'époux devenu veuf étend le vieux chandail à carreaux que son épouse avait pris l'habitude de porter pour se rendre au jardin, il secoue le gros pantalon rêche et bleu aux ourlets souillés encore de terre.

Il frappe. Il frappe pour faire tomber la poussière, les brins de mousse, les bouts de feuilles des anciens vêtements.

SIMEON

Je frappe pour faire tomber la poussière du passé. Je frappe pour raviver les teintes d'autrefois.

Je frappe aussi pour faire revenir un peu de l'odeur de son corps qui s'y est imprégnée jadis.

Un peu de la jeune sueur délicieuse de mon épouse.

Je frappe pour me souvenir des bras qui habitaient ces manches,

des petits seins blancs, recourbés, doux, que cette laine abritait,

des longues jambes blanches que protégeaient ces pantalons de drap bleu qu'elle répugnait à repasser chaque fois qu'ils revenaient de la lessive.
J'appelle en vain.

Je tords, je frappe, je nettoie, je gratte, j'époussette, je secoue, mais j'appelle en vain !
Que ce soit le plat de main sur le linge épais,
sur la laine moutonneuse,
sur la flanelle unie et souple,
sur les côtes de velours,
j'appelle en vain.

Que ce soient les doigts de ma main sur la fourrure du col du manteau,
sur la soie du corsage montant et gris,
que ce soient les doigts de ma main sur les touches douces et tachetées et lisses du vieux piano qui date du siège de Washington,
j'appelle en vain.

Ô vieil ivoire qui date du temps où les Anglais assiégèrent et reprirent la cité de Washington
et l'investirent !

J'ai dit au médecin : «Sauvez l'enfant ! Privilégiez la petite !» Ai-je eu tort ?

Au fond de l'ombre, ma femme, ma femme, m'en veux-tu ? N'as-tu pas des reproches à me faire ? Ne sont-ils pas fondés ? Tu souffrais tellement.

Mais plus j'y pense, plus je m'y attarde, plus je le rumine, plus je crois que je n'ai pas du tout eu raison de décider ce que j'ai décidé.

Pourquoi ai-je opté pour ta mort ?

Tu sais, je t'aimais tellement plus que notre petite fille. J'aurais dû la laisser dans ton ventre et préférer ta vie à la sienne !

J'aurais dû ne pas te faire saigner, t'ensanglanter, crier, sangloter, mourir !

Je t'aime plus que mon enfant.

Je n'aimais que toi, tu sais.

Je n'aime que toi.


La lune apparaît derrière la ligne de lumière faible.

Maintenant le révérend prépare la table pour «manger seul à deux».

Il dispose les assiettes, les couverts, les verres, les serviettes.

Un merle entre sur scène, venant du jardin.

Oh, toi, je te reconnais ! C'est toi qui imites si bien l'horloge. Tu es le mari de la merlette brune qui s'était blessée, un soir d'automne, quand Rosemund habitait encore ici !
Et maintenant ma fille est partie avec ton amoureuse aussi brune qu'une châtaigne !

Il lui présente le dos de sa main.
Le merle noir vole jusqu'à son poignet et s'agrippe à la manche de sa redingote, où il plante son bec jaune.
Le révérend le reconduit à jardin au jardin.
Il ouvre la porte-fenêtre.
L'oiseau s'envole dans le jardin.

SIMEON

Je vais dresser une table pour deux. C'est ainsi que je mange avec toi, le soir.
Ou encore je peux dire : Finalement j'aime bien manger avec moi, tout seul, à mon rythme, une fois que le soleil s'est couché – et j'aime bien me parler à moi-même.

Je trouve, souvent, quand j'y songe, très intéressant ce que je me dis.

Parfois je me fais des compliments. « Ah ! Simeon, me dis-je à moi-même, c'est très profond ce que tu viens de dire ! »

Je trouve ça agréable de s'applaudir un petit peu. Cela fait du bien et toi, mon amour miséricordieux, tu l'acceptes.

Le révérend lisse la nappe, place les deux ronds de serviette sur les serviettes repassées.

Il ôte le bouchon de cristal de la carafe et sert le vin.

Il rompt le pain. Il distribue les parts qu'il a rompues auprès des deux fourchettes.

LE RÉCITANT

En vérité, il ne sert pas le vin, il ne rompt pas le pain, ce vieil homme à la longue barbe blanche, il songe :

Ô ma femme, comment est-ce possible ?

Je t'ai vue brûler dans le four crématoire du temple. Puis j'ai versé tes cendres sur l'eau de l'étang au fond du jardin, derrière la rangée des roseaux.

Ô ma femme ! Comme tu étais jeune quand tu es morte !

Tes joues étaient si douces
et duveteuses encore de l'enfance !

Comme tu étais belle avec ton grain de beauté tout en haut de l'épaule !

Avec tes longs cheveux noirs et roux qui tout à coup tombaient quand, les bras nus et relevés, tu défaisais ton chignon,
et les éparpillais sur ta peau si blanche !

Je t'ai habillée ! Je t'ai habillée !

Je n'ai laissé à personne d'autre le soin de t'habiller avant que le feu te prenne !

À la fin restent les douleurs !

À la fin restent les douleurs !

À la fin, enfin, enfin, restent les douleurs !

Car les douleurs elles-mêmes sont comme des chemins.

Ce sont de bons chemins, de bien meilleurs chemins qu'on ne le croit, les douleurs !

De prodigieux chemins hantés !

Quand on perd brutalement celle qu'on aime, on se tait.

Mais, même si on ne leur dit rien, faute d'être capable de dire quoi que ce soit, à qui que ce soit, les gens, les importuns, la famille s'empressent.

Les gens parlent et ils parlent toujours trop. Ils n'aimaient pas comme on aimait. Ils parlent à tort et à travers.

Les gens s'efforcent d'être gentils, mais cet effort même fait fuir.

On n'a qu'une pensée : se cacher d'eux.

On n'a pas envie de partager sa douleur. On souhaite plus que tout se soustraire à la parlote funèbre et à leurs pauvres souvenirs si suspects, si égoïstes, si déplacés, si faux.

Comme je détestais l'idée même d'une consolation ! L'ignoble idée d'une condoléance !

Comme je préférais la douleur !

Voilà ce que j'ai toujours pensé au fond de moi : partager sa douleur c'est trahir.

On a envie d'être seul avec les morts,
seul à seul,

tellement envie d'être seul avec les souvenirs, les images silencieuces,
les délicatesses infinies de la vieille présence !
On souhaite tellement, longuement,
contempler dans la paix, dans ses traits, le visage interne qu'on a au fond de soi.
Ô cette imprégnation de la prégnance devenue un fantôme !
Quel doux plaisir de reparcourir ses trajets un à un, entièrement, complètement,
habitudes, heures, odeurs.
Sombre bonheur de tout revivre,
pas à pas, de ce qui fut vécu si longtemps, côte à côte,
la vie ordinaire, humble, impudique, touchante !

La nuit une fois tombée, quand tout le monde est parti, on n'est pas si malheureux que les proches ou les amis le croient.
On éprouve vraiment une triste et dense volupté à se retrouver seul, tout seul,
le soir, absolument seul auprès de celle que l'on aimait et à lui confier son désarroi en silence.
Car on parle encore à celle qui est perdue.

La morte, celle que j'aimais, l'odeur, le son, le timbre, le petit cigare, la chevelure, le jardin, les tâches quotidiennes où le jardin oblige, voilà ce qui formait une bonne compagnie

dont mon âge me chasse

car je suis seul, de nous deux, maintenant à vieillir.

Ce n'est pas parce que les nuages s'en vont qu'on aperçoit la montagne.

C'est parce qu'on aperçoit soudain la montagne tout entière dans le ciel que la pluie cesse tout à coup et que l'or du soleil vient brusquement remplir nos mains.

Mais ce n'est pas parce que nous vivons encore que nous sommes heureux.

Ce qui est merveilleux, c'est que, dans la mort, nous nous tenions encore dans les bras l'un de l'autre.

Je pense que les rêves passent les prières.

On quitte leur silence et on se réveille en sanglots.

Les rituels sont comme des restaurations silencieuses où il faut être seul si on veut les célébrer comme il faut.

Ces liturgies taiseuses, taciturnes, sont plus fortes, plus efficaces, plus irrésistibles que ne le sont les prières.

Ce sont des services où il faut être très attentif.

Car ils sont plus fidèles que les fidèles, les rituels, les manies ! Ce sont des fêtes blessées et pleines de chagrin mais cependant des fêtes.

Car ça se prépare, les retrouvailles !

Maintenant le révérend quitte la table, il va au piano.

Simeon prend sur le dessus du piano la petite photo encadrée de crêpe noir qui représente son épouse et il retourne lentement la photographie contre le bois du piano.

Le récitant regarde le révérend.

LE RÉCITANT

Parfois ce sont les souvenirs qui interrompent la mémoire.

Parfois l'âme est plus vivante que les traces cruelles.

Parfois un cher visage mort grimpe sur les traits de notre propre visage

et s'attarde
et même se repose.

Une main gagne nos mains et on croit voir
les bagues anciennes qui brillent
entre les os des doigts où on les a glissées.

Une douleur saute, au-dessus du temps, au fond
du ventre,
comme un chat dans l'espace,
qui est tellement meilleure que l'oubli.
Soudain des larmes qui ne sont pas les nôtres
s'écoulent sur nos joues sans que personne les
voie
mais toi, toi, tu sais que quelqu'un d'autrefois
pleure au fond de toi.

Le révérend pose doucement sa main sur
l'épaule du récitant.
C'est lui, Simeon Pease Cheney, qui prend alors
la parole, il parle tout bas, comme s'il chantonnait,
à l'adresse du musicien.

Il ne faut pas parler des morts devant les morts.
Leurs oreilles entendent encore.
Les chants qui les concernent aimantent leurs
souvenirs
et concentrent toute la peine dans le fond de la
gorge.
Rien ne les inhume tout de suite dans la terre.
Rien ne les consume tout à fait dans la flamme
qui s'élève.
Rien ne les engloutit entièrement dans les eaux
où la main les saupoudre,
et les répand auprès des nénuphars.

Il faut ajouter aux eaux qui passent les pleurs qui
s'écoulent,
comme aux chants le silence.
Comme à l'air l'essor du vent en même temps
que l'usure
ou sa lente pulvérulence de rouille sur le pom-
meau des cannes et les volets de fer.
Alors, un jour, l'oubli parvient à les saisir,
le vide avale leurs noms
et le temps les dissout.

Simeon Pease Cheney pose les deux mains bien
à plat sur les deux épaules du récitant alors que ce
dernier, assis devant le clavier, commence à jouer
les œuvres qu'il a écrites au lendemain de la mort
d'Eva R. Cheney.

SIMEON

Ma femme, ma femme,
le robinet dans la cour ferme mal.
Entends-tu l'eau qui tombe
dans l'arrosoir qui est près de la porte
à côté de la marche de pierre grise
sous la vigne vierge, tu entends ? Tu entends ?

Le récitant cesse subitement de jouer.
Il lève les mains dans l'air obscur, les poignets
recourbés.
On n'entend rien.

SIMEON

Et alors la goutte d'eau pourtant si claire qui
tombe au fond de l'arrosoir

décompose, chaque fois qu'elle sonne, une surface sombre
où se répercutent
de curieux reflets qui se brisent.

Ah ! C'est exactement ainsi que murmure la
fraîcheur,
l'été,
quand la grenouille quitte son chapeau de
feuilles à la fin du crépuscule,
et hèle son amour.
C'est ainsi
que la rosée monte sur les herbes à la fin de la
nuit.
C'est ainsi que les larmes,
le matin, le midi, le soir,
ne tombent pas, ne tombent pas mais
doucement
coulent sur les joues amaigries et la barbe qui
naît.

Elles coulent, les larmes,
des yeux des vieux hommes, parfois,
sans qu'ils sachent pourquoi.

Elles disent :
Il y a trop d'aujourd'hui !
Elles disent :
C'est aujourd'hui maintenant
et ce n'est pas hier.

Comme j'ai vieilli !
Comme tu as peu vieilli !

Le révérend a repris la photo. Il déplie sa paire
de lunettes cerclées de fer. Il les pose sur son nez. Il
répète ses pauvres phrases.

SIMEON

Comme j'ai vieilli !
Comme tu as peu vieilli !

Il se touche le visage et se compare autant qu'il
est possible à la photo qu'il voit.
Comme si le poids du passé était venu s'alourdir
sur ses épaules, il s'accroupit soudain,
il se tasse au pied de la banquette du piano, au
pied du musicien,
comme un petit enfant,

toujours tenant devant ses yeux et regardant la photographie de son épouse Eva.

SIMEON

Comme tu étais belle !

LE RÉCITANT

Pendant que le révérend Pease Cheney se perd au fond de la photo de son épouse,
je vais la faire revenir
grâce à l'air qu'il lui avait dédié avant qu'elle soit décédée.
Il avait composé cet air
pour le mariage.
Elle avait vingt-trois ans alors,
comme sur ce vieux cliché
aussi marron que le chapeau d'un cèpe
et jaune pâle comme une cire d'abeille.

Le récitant interprète l'air ancien au piano.
Le pasteur en cherchant à reposer le petit cadre sur le piano droit fait tomber ses lunettes par terre.

Il les cherche à quatre pattes en tâtonnant pendant que son épouse apparaît sortant de la ligne lumineuse qui s'éclaire.

Toujours à quatre pattes, Simeon P. Cheney retrouve ses lunettes. Il se redresse avec un peu de peine. Il met sa main sur son genou pour prendre appui. Encore à genoux, se redressant, il la voit sans bien comprendre ce qu'il voit.

Il s'avance à genoux. Simeon P. Cheney se dirige à genoux vers l'apparition d'Eva R. Cheney.

Il lève les yeux, il tend la main, il tremble.

LE RÉCITANT

Comme une fleur coupée sur la tablette en verre de la salle de bain,

comme une petite photo que l'amoureux a posée sur la table de chevet en bois près du lit de la chambre d'amour,

elle se tient toute mince et menue dans le cadre de la porte.

La jeune mère morte autrefois semble plus transparente, plus fine,

mais aussi beaucoup plus lumineuse qu'elle n'était à l'évidence !

Même, la mère semble tellement plus jeune que sa fille vivante !

Lui, il est un peu voûté,
il est presque vieux,
trop grand,
il se redresse maladroitement, il se cabre, il s'appuie contre le montant gris de la porte.

Tenant la poignée de porcelaine froide, il croit qu'il la voit.

Il croit qu'il la voit mais il ne sait pas s'il se trompe quand il perçoit ce que en vérité il voit.

Mais comment saurait-il qu'il se trompe alors qu'il la voit ?

Eva est plus jeune que Rosemund. Elle a vingt-quatre ans, ravissante. Cheveux bouffants, sans lunettes bien sûr. La taille prise et toute mince. Port sublime. Une capeline à calicot. Elle bouge à peine.

SIMEON

Tu as vieilli malgré la mort ?

EVA

Je ne pense pas. Tu trouves ?

SIMEON

Tu trembles ?

EVA

Je tremble un peu pour faire comme toi, mon vieil amour. Comme tu es vieux ! Je suis contente de te voir.

Simeon se relève.
Il s'avance.
Eva recule soudain, comme une jeune femme qui est effrayée.

EVA

Ne me touche pas. Ne me touche pas, mon amour !

SIMEON

Ne t'en va pas, Eva ! Ne t'en va pas, Eva !
Eva, je ne te toucherai pas !
Assieds-toi, Eva. Prends ce fauteuil. Je ne te tou-
cherai pas. Je vais te chercher de quoi boire.

Le pasteur va à cour. Il ouvre la porte de l'armoire. Son corps est masqué par la porte qu'il
ouvre.

SIMEON

Il y a du vin de Porto. Le voilà. Il y a aussi du
vin blanc du village. Si tu préfères. Dis-moi ! Que
préfères-tu ?

EVA

Hélas je ne bois pas. Les morts ne boivent plus.
C'est triste, d'ailleurs.
Il me semble,
maintenant que tu m'offres ce verre,
que la seule chose que j'aimais sur terre, c'était
boire.

SIMEON

Tu ne buvais pas tant que cela, mon amour…
Jardiner, ça, tu aimais…

EVA

Pas tant que ça ! Pourquoi dis-tu cela ?

SIMEON

À chaque instant tu te précipitais dehors…

EVA

Ne pas t'avoir toujours dans mes pattes, tu vois,
voilà,
voilà ce qui me poussait à sortir.
Oui, j'allais au jardin.
Oui, je sortais à toute allure, c'est vrai. Je fonçais
vers l'étang.
J'aimais tant être seule quand j'étais jeune fille.
Une fois devenue ta femme, fumer aussi cela me
poussait à sortir.
Cela te faisait tousser et cracher du sang,

dans ta barbe qui était encore toute blonde,
quand je fumais dans la maison.
Je me souviens que j'aimais à la folie les petits
cigarillos qui provenaient des Antilles
ou de l'île des Indiens arawaks qu'on appelle
Cuba.

SIMEON

Hélas je n'en ai pas ici, à la maison ! J'ai oublié.
Je me le reproche. J'aurais dû en conserver, en
racheter, en sorte de te faire venir…

EVA

Mais je n'ai plus de souffle, Simeon !
Je n'ai plus que des réminiscences de cet étrange
encens qui modifie les volumes des choses,
de ces petits tourbillons de fumées blanches ou
jaunes,
de ces parfums délicieux,
de ces volutes qui devenaient bleues,
puis inconsistantes,
de ces petits bois d'allumettes avec leur petit
bout de phosphore,

qui crissent et craquent,
des cendres qui tout à coup tombaient !

Tu sais, tu sais, Eva, l'amour que je t'ai porté
est peut-être une faute. Cela me fait du bien d'en
parler.
Tu m'avais donné une fille en mourant. Mais il
est advenu que je n'ai eu de regard que pour toi,
de regret que pour toi.
Même quand je m'y force, je ne porte pas un
grand intérêt à la fille que ta mort m'a laissée. Je
m'en fais le reproche, là aussi. Un peu de sollici-
tude sans doute me pousse quelquefois à m'inquié-
ter d'elle. Alors je lui écris une brève lettre. Mais
je ne ressens pas de véritable curiosité pour sa vie.
Maintenant elle est partie, notre petite. Elle est
devenue professeur de piano et de chant dans le
collège des filles de Meredith.

Si tu savais comment je m'en fiche, de ma fille,
mon ami ! Tu n'imagines pas ce que les mères

pensent de leurs filles ! Je voulais juste voir ce que tu étais devenu. Et je découvre que tu penses tellement à moi que cela est troublant. Que les âmes aiment, cela attire…

SIMEON

Viens. Allons voir le jardin. Tu vas voir comment je l'ai entretenu.

EVA

Je suis si faible que je ne tiens plus sur mes jambes.

SIMEON

Tu te souviens du jardin, Eva ?

EVA

Non.
Tu vois, je fais semblant, par politesse.
En vérité, mon ami, pas du tout !
Ce dont vous n'avez pas l'idée,

vous, les humains,

c'est que la mort élague dans la mémoire d'une manière que les vivants ne comprennent jamais.

Ce sont des champs de bataille couverts de cadavres.

Des paysages dévastés. Des trous. Des cratères.

Des villes en ruines qui forment une lande infinie.

Et tout est plein d'un grand vent immobile

et sombre !

Il faut que je reparte maintenant.

Maintenant que je suis venue jusqu'ici, dans l'air vivant,

dans la lumière qui m'éblouit,

je souffre d'être vue de toi. Cela me fait mal.

SIMEON

Reste encore un petit peu !

EVA

Cela fatigue d'être visible. Je suis juste venue faire un petit tour.

Comme le salon est vieux !

Cela fatigue d'être vue.

Cela fatigue tellement d'être vue ! On se met à aimer l'ombre et le retrait.

Finalement ce n'est pas si mal d'être mort.

Tout devient noir d'un coup.

Noir opaque.

On ne voit rien.

LE RÉCITANT

Il s'est approché de la table où elle posait la cuvette de porcelaine et le broc rempli d'eau chaude le matin,

où elle se toilettait,

où elle montait son chignon en le truffant d'épingles au bout de nacre,

où elle se parfumait autrefois,

où elle appliquait doucement la houppe de sa poudre.

Il s'est assis là où elle se tenait assise.

À sa grande surprise il découvre dans le miroir le reflet de celle qu'il aimait qui y est resté inscrit.

Alors il lui parle sans gêne.

Le visage lui répond à voix basse, très basse, mais distincte.

Comme la voix qui montait du reflet de son corps était belle !

C'était une voix qui avait encore un accent d'enfance,

une voix haute, un peu perchée, mais aussi un peu sourde,

comme en ont les jeunes femmes qui fument.

— Ne me touche pas, je t'en supplie. J'ai vu ton geste, disait-elle.

— Je te désire depuis si longtemps, lui disait-il.

— Attends que je m'efface. Tu sais, les morts désirent encore dans l'autre monde. Tu sais, même s'ils n'ont plus de corps pour jouir, il leur est pénible de désirer sans jouir. Éloigne-toi de moi. Éloigne-toi si tu veux t'épancher. Oh ! Mon Dieu ! Oh ! Mon Dieu ! Que la mort est triste !

Le révérend est seul debout dans le noir.

## SIMEON

Soudain dans la journée je parais être plongé dans un sommeil.

Il n'en est rien. Je ne dors pas : je reste prostré dans cette étrange somnolence,

dans cet engourdissement,

et je te vois,

et je te parle – tu es presque là,

tu es presque là et je suis presque heureux.

Dans le noir une lente et belle lumière heureuse, une lumière d'été de plus en plus chaude, de plus en plus irradiante, envahit la scène.

# CHAPITRE IV

Rosemund Cheney porte un chapeau de paille avec une voilette au-dessus de son visage qui flotte dans l'air. Elle arrive à toute allure en bicyclette sur la scène. Elle freine bruyamment, s'arrête soudain, devant la porte-fenêtre.

Elle regarde autour d'elle, un pied posé par terre, tenant son vélo entre les jambes. Elle a l'air étonnée.

Elle pose le guidon de la bicyclette contre la porte-fenêtre. Elle prend le grand bouquet de fleurs dans la sacoche du vélo enveloppé dans son papier cristal.

Elle entre par la porte vitrée, les pose sur la table.

Elle va accrocher son chapeau de paille sur le portemanteau.
Elle ôte ses lunettes de soleil.

Il y a trop de lumière ici.

Elle remet sur son nez ses lunettes de soleil.

C'est si rare qu'il y ait tellement de lumière dans le salon.
Je crois que je n'ai jamais vu autant de lumière dans la maison de papa.

Elle saisit le bouquet de fleurs.
Les lunettes de soleil sur le nez, les cheveux longs tombant autour de son visage, elle s'approche du vase sur le bord de la scène.
Elle pose la brassée de fleurs sur le sol auprès du vase.
Elle repart chercher l'arrosoir dehors, revient avec l'arrosoir, emplit d'eau le vase, défait le papier

en cristal, arrange les fleurs, s'assoit soudain auprès du magnifique bouquet.

ROSEMUND

Je suis malade des oreilles. Je ne deviens pas sourde comme Jane, qui maintenant sculpte la pierre. C'est pire.

Rosemund retire de son visage une nouvelle fois ses lunettes de soleil. Elle les replie et les range avec soin, sous son mouchoir, dans la grande poche de sa robe d'été en toile jaune.

ROSEMUND

Et je m'offre des fleurs !

J'en suis arrivée à ce point de solitude que je m'offre des fleurs le plus souvent que je puis.

J'aurais tellement aimé me donner à quelqu'un qui m'aurait distinguée dans la foule des jeunes femmes qui entrent dans le monde. Toutes cherchent à plaire le plus qu'il est possible aux hommes rasés de près et chapeautés qui passent. Il m'aurait aperçue. Il m'aurait aimée sur-le-champ.

— C'est moi. C'est moi, lui aurais-je dit. Oui. Oui, aurais-je insisté. Prenez ce trésor car je suis un trésor.

— Oh oui, tout de suite. Comme vous êtes belle ! Je vous épouse. Attention ! Je vais glisser à votre doigt cette lourde alliance d'or blanc ! Entrez dans ma maison !

Elle laisse passer un temps.
Elle arrange les fleurs.

ROSEMUND

Je suis revenue au presbytère de mon père. Mes oreilles tintent, le son se brouille, je n'entends plus les notes qui montent des touches du piano. Uniquement ces notes qui montent des cordes d'acier du piano quand les petits marteaux enveloppés de feutre les frappent se désaxent et se brouillent. Et mes élèves refusent peu à peu les leçons que je leur donne.

Elle repart, avec l'arrosoir à la main, dans le jardin. Elle le pose devant la porte de la cure.
Elle retourne à sa bicyclette, se penche sur la sacoche, sort un paquet. Elle rentre en défaisant le papier-cadeau avec des beaux motifs de couleurs qui l'enveloppe.

ROSEMUND

Je viens d'acheter le livre que Mrs Gaskell a consacré à la vie de Charlotte Brontë.
Mais c'est à Emily que va mon amour.
S'offrait-elle des fleurs ? Si elle s'offrait des fleurs, elle devait s'offrir des chardons.
Ce n'étaient pas des perruches ou des canaris qu'elle avait dans sa cage, mais un rapace qu'elle laissait au salon devant la cheminée. Il s'appelait Hero. Elle avait un chien, un dogue qui s'appelait Keeper, qui couchait dans sa chambre.

Au loin le révérend Cheney arrive par le jardin, lent, vieux, raide, tout en blanc, en redingote de coton blanc, les cheveux blancs, la longue barbe toute blanche.

Il pose son chapeau panama blanc près du chapeau de paille à voilette de sa fille.

Il glisse sa canne dans le pied du portemanteau.

SIMEON

Elles sont belles, tes fleurs, Rosemund. Ce sont des narcisses !

ROSEMUND

Non, papa, ce sont des jonquilles.

SIMEON

Je ne vois plus bien.

ROSEMUND

Tu veux que je te serve un verre de porto ?

Le révérend tire sa montre de son gousset, met ses lunettes, ouvre le boîtier d'argent, observe longuement les aiguilles sur le cadran bombé de l'oignon.

SIMEON

Non. Pas tout de suite.

Le révérend va s'asseoir près du récitant sur la
banquette du piano et regarde sans mot dire sa fille
assise par terre devant le bouquet de fleurs.

ROSEMUND

Tu ne vois plus bien et moi j'ai ces problèmes
d'audition. Dis, papa, comment expliquer cela?
C'est quand même étrange. Pourquoi je n'entends
plus la musique du piano? Pourquoi uniquement
du piano? J'entends parfaitement les chants
des enfants à l'église et je les écoute avec tant de
plaisir.

J'entends les oiseaux, la rivière qui coule et qui
roule son eau et qui heurte la rive.

J'entends la sonnette de la grille qui tinte au fond
du jardin.

J'aime la flûte dont joue le petit garçon de la
repriseuse et mon âme en escorte l'air sauvage sans
éprouver la moindre gêne.

J'apprécie le son si grave du saxophone en *si* bémol que Monsieur Adolphe Sax vient d'inventer et dont la fanfare de Geneseo a acquis trois exemplaires pour les parades.

Mais je n'entends plus la musique du piano.

J'ai dû renoncer à l'enseigner. Tout s'enchevêtre dans mes oreilles, papa. C'est un chaos. Le médecin de Meredith dit que cela passera. Quant au docteur de Geneseo, il prétend que ce sont des idées que je me fais.

Le révérend pivote sur lui-même, pose ses deux mains sur le bois du piano, baisse les yeux, contemple le clavier ouvert, se retourne vers sa fille.

SIMEON

Regarde, Rosemund ! Regarde ton père.

Ce n'est pas une idée que tu te fais. Je *suis* le piano.

Et c'est vrai que c'est toute ma vie, le piano, chaque soir que Dieu fait, à chaque crépuscule que Dieu donne.

C'est mon journal intime, le piano. Je ne t'ai pas assez aimée. Ta mère…

Arrête avec ma mère !

Je t'appelle au secours et tu me renvoies encore une fois à ma mère !

Écoute-moi plutôt ! Je vais te décrire exactement ce qui se passe.

Je suis assise. L'élève suivante s'approche et me donne son carnet de la semaine, s'assoit sur le tabouret, lisse sa jupe ou étale sa robe, colle ses coudes le long de ses côtes, recourbe ses poignets, pose les doigts sur les touches, commence à jouer son morceau.

Alors la mélodie s'affaisse en moi dans une sorte de détresse.

Quelque chose se désarticule.

Ou plutôt, véritablement, il s'agit d'une sorte de naufrage. Les notes se dispersent à l'intérieur de mes oreilles. Elles ne se suivent plus. Plus rien ne se joint. Comment expliques-tu cela ?

Le révérend regarde sa fille qui se bouche lentement les deux oreilles avec ses mains grandes ouvertes.

ROSEMUND

Et aussitôt cela devient la panique en moi. Mes
doigts eux aussi me brûlent. J'ai envie de me boucher les oreilles. Il faut que je fasse un effort pour
ne pas me boucher les oreilles pendant ma leçon.
Papa ?

SIMEON

Oui.

ROSEMUND

Essaie de jouer pour moi quelque chose. Pour
voir.

SIMEON

Quoi ? Tu veux que je joue quoi ?

ROSEMUND

Ce que chantait le merle noir, il y a six ans, que
tu appelais Clotho, quand il essayait d'imiter le

chant des aiguilles de fer, quand j'essayais de me
tricoter une écharpe. C'était si émouvant. C'était si
drôle !

Simeon se retourne en direction du récitant,
regarde le clavier, lève les mains tandis que l'interprète lui-même lève ses mains.
Simeon s'apprête à jouer tandis que l'interprète
s'apprête à ses côtés à faire exactement la même
chose que lui.
Juste à ce moment précis la sonnette tintinnabule
à la grille.

SIMEON

Va voir ! C'est le facteur. Va voir !

ROSEMUND

J'y vais.

Ils sont tout à coup tous les deux très graves.
Rosemund se remet debout, traverse la ligne de
lumière, court dans le jardin, disparaît en pressant
le pas.

Elle revient lentement sur scène en portant un paquet de l'épaisseur d'un gros manuscrit à la main.

Elle le tend à son père qui l'ouvre avec l'index.

Il déplie la lettre que le paquet contient. Il la lit à peine.

ROSEMUND

Il a refusé ta musique ?

SIMEON

Oui. Quatrième refus.

Le noir total envahit la scène.

# CHAPITRE V

On entend la bise.
On entend le volet qui claque.
Il fait si sombre.

LE RÉCITANT

L'hiver, un nouvel hiver est là. Les os, oh ! les os et les ligaments entre les os font de plus en plus mal !

Le squelette d'un homme âgé souffre – c'est à hurler – quand il s'assoit, puis quand il s'étend, posant ses deux jambes devant lui, cherchant à se reposer dans le grand canapé devant le feu de bois.

Je n'allume pas la lampe à pétrole : je préfère les flammes qui chantent. Les flammes qui dansent sont si belles dans l'âtre. Je cale mes fesses et mes vertèbres contre les coussins, au fond des plaids devant la cheminée, dans la douce chaleur qui naît des braises,

dans la bonne nuée de chaleur dont la couleur est si belle même si elle ne chauffe plus grand-chose au fond de soi ni rien au fond de la mémoire.

Au fond de moi tout est devenu plus vide.

Depuis que j'ai terminé mon livre, je suis vide.

J'ai essuyé un cinquième refus le lendemain de la Toussaint.

J'ai noté tout le bonheur et le bonheur a été avalé tout entier dans le livre, et, le livre de mon bonheur, mon livre de chants sauvages, *Wood Notes Wild*, il a été repoussé partout où je l'ai adressé.

Une cinquième fois il a été rejeté.

Mon bonheur, mon amour, n'était pas leur bonheur.

Le révérend, assis dans le grand fauteuil, silencieux, les jambes reposant sur le gros pouf

de velours, regarde attentivement son pouce en silence.
Dans la lueur de l'âtre on ne voit que son pouce, dans la pénombre.

SIMEON

Le pouce maintenant, en se tournant, peine à se poser sur la touche du piano. Il ne se déplace plus, il glisse. Il n'appuie plus.
Les branches ne portent plus aucune feuille le long de la grille en surplomb de l'eau de l'étang.
Je relis la musique que je notais jadis sur la table de chevet en m'éveillant,
dans l'insomnie,
quand je transcrivais, à la lueur de la bougie,
l'appel puissant du rossignol, l'ariette délicieuse du rouge-gorge, le cri déchirant de l'effraie,
la pluie, le vent,
le coup de bourrasque et le calme soudain.

Apparaît dans la pénombre Rosemund qui se tient assise devant la table.

Elle porte un fichu gris. Ses cheveux sont noués en nattes. Son corsage blanc monte jusqu'au cou. Elle épluche les haricots.

Elle fait craquer le bout de leurs gousses.

D'un côté le papier journal déplié, de l'autre la bassine grise.

Miss Rosemund Cheney, toute arquée et raide, emplit la bassine grise.

Le récitant commence à jouer Fauré, *Les Berceaux*, pièce offerte à Mademoiselle Alice Boissonnet.


LE RÉCITANT


Exactement au même moment où le révérend Cheney composait *Le Portemanteau* de la cure qu'il dédiait à Eva, Gabriel Fauré composait *Les Berceaux* qu'il offrait à sa jeune élève Alice.

Rosemund devant sa bassine se met à chantonner sans que personne l'accompagne.

Puis l'interprète accompagne la jeune femme à la manière de Cheney. C'est un minimum d'arpèges et beaucoup de silence autour du chant fredonné lèvres closes.

(Ou bien Rosemund et moi, tous deux assis sur la banquette, nous jouons à quatre mains cet air si triste, si connu, si à la mode alors. Ce chant de Sully Prudhomme, profondément absurde, en vérité est si inconscient et étrange.)

SIMEON

La musique a cessé de résonner dans l'espace désormais car ma fille souffre de l'entendre. Tout s'emberlificote en elle et lui inspire de la peur.

Aussi, m'aidant de ma canne, j'erre dans le jardin glacé. Je n'ose plus m'approcher du piano. Je n'ose plus me mettre à jouer.

Il faudrait que la musique ne sonne plus qu'au fond de moi, comme un reflet de chant qui n'éclorerait plus dans l'air.

Il faudrait peut-être que Rosemund songe à revendre le piano ?

Cela dit, qui voudrait acheter un pauvre piano droit acquis l'année où les armées des Américains commandées par le général Jackson combattirent les Anglais,

les vainquirent, les repoussèrent, les chassèrent ?

Les violons vieillissent bien. Les pianos vieillissent mal.

Les arbres devant la mare se dressent, nus, étroits, minces comme des enfants de la guerre, comme des adolescentes affamées, dans l'air brumeux et bleu.

Tiges ou branches du corps. Chaume sans sève. Pauvres éteules des saisons qui précèdent.

Pauvres chardons morts à la tête bleue subitement blanchie.

Oui, la mort est là et elle arrive continûment désormais dans l'afflux de mon sang.

Et combien la peur que j'en ai l'accompagne !

Et l'étrange hâte où elle presse toutes choses dans son étrange mouvance, dans son vigoureux afflux, à l'entour d'un visage qu'on ne voit pas, dont on se souvient mal, – me presse, me tire.

Ô pauvre tête hirsute de chardon mort !

La mort toute-puissante étend sa cruelle aire plus animale qu'humaine.

Cette couche de glace qui se meut, qui craque sous le poids de ma vie,

116

se fend puis se disloque dans un hiver de plus en plus glacé.

Les morceaux de mon existence se craquellent exactement comme se craquellent les paragraphes sur la page d'un livre qu'on refuse !

Exactement comme se rompent ou se fendillent verticalement les portées d'une partition que des petits ronds noirs recouvrent
et que plus personne ne fait sonner,
que plus personne ne chante !

Ma fille, les éditeurs se bouchent les oreilles,
avec leurs moufles douces en laine cachemire,
avec leurs gants de soie ou en peau de chevreau.

Les anciens habitants de la Finlande, ou de Thulé, ou du Nord Canada, ont pour habitude de dire : « Quand la glace est mince il faut marcher très vite. »

Mais pourquoi marcher très vite ? Pourquoi s'empresser d'atteindre l'autre rive ?

Je reste debout autant que je le peux dans le noir sur la rive glacée et bourbeuse et sauvage.

Je préfère la rive sur la mort à la mort, si tentante qu'elle soit parfois.

Car même la rive qui donne sur la mort est sublime !
Elle, elle aussi, elle contemple.
Elle contemple l'eau sombre qui passe.
Elle est si profonde,
    toute noire, lente, vaste, ample, presque silencieuse.
Je la contemple tout en reculant un peu dans la boue.

La sonnette du facteur à la porte du jardin. Le révérend Simeon Pease Cheney se lève difficilement. S'appuyant sur sa canne, il va chercher le courrier.
Il revient un paquet ouvert à la main.

SIMEON

Sixième refus !

Soudain le visage du révérend se défait. Il pleure.

SIMEON

Encore un refus. Ces refus répétés de mon manuscrit où toute la musique de la forêt sauvage est contenue, c'est comme un refus des dieux. Un refus de Dieu.

(Il parle tout bas.)

Ces refus, cela veut dire quoi, Rosemund?

ROSEMUND

Ne te décourage pas, papa. Sois patient.

SIMEON

Le courage de quoi? La patience de quoi? Je pense que ces refus de ce que je compose, ça a un sens.

Je ne comprends pas.

C'est le vent, ce sont les oiseaux, ce sont les roseaux, ce sont les gouttes de l'averse sur les arbres que l'on refuse.

ROSEMUND

Tu as écrit ce que tu as voulu écrire.
Il ne faut pas chercher du sens partout.
Peu importent les motifs que les employés des maisons d'édition avancent dans leurs lettres distinguées, dédaigneuses, empesées et si prudentes.

SIMEON

Le titre est bon ?
Notes de la forêt sauvage…

ROSEMUND

Oui, le titre est bon. Très bon. Excellent même.

SIMEON

Il y a du sauvage ?

ROSEMUND

Oui, il y a du sauvage.
(Elle se tait. Elle rêve.)

Il y avait peut-être de la démesure dans l'amour que tu portais à ta femme, qui a été punie.

Je vais te dire un secret, ma fille. Il n'y a jamais de démesure dans un amour.

Papa, pourquoi veux-tu que Dieu ait voulu que ta fille souffre tant ?

J'ai tellement détesté tes cris ! J'ai tellement détesté ta naissance, les deux cérémonies qui s'intriquaient, le deuil, ton baptême, toute la population du village était là.

Une masse infinie de personnes que je ne voulais pas voir se rencontraient, c'était comme une foule électorale, ils pleurnichaient un instant, et presque aussitôt après riaient, se congratulaient, se tapaient dans le dos.

Tous oubliaient Eva.

Les condoléances étaient lourdes, les attendrissements étaient excessifs, les caresses affectées, les larmoiements inconvenants. Ma belle-famille exerçait une pression qui m'écœurait. Les familles aiment plus la reproduction que la mort. Tout le monde était autour de ton berceau. Ta mère n'existait plus. Même avant d'être incinérée et de reposer dans l'urne tiède, elle n'existait plus, ta mère ! Et tu braillais ! Même la mère d'Eva – ta grand-mère – aurait voulu que je sois consolé déjà. Elle pensait vraiment que ta venue au monde effaçait la mort de sa fille. Je te jure : cela lui était égal, la mort de sa fille, puisqu'elle avait une petite-fille toute rose, égosillée, s'égosillant, hurlante à crever les tympans de la terre entière.

Dieu – et c'est un prêtre ordonné qui te parle –, Dieu n'était pas là.

Non, Dieu n'était pas là quand celle que j'aimais mourut.

Et elle, tu vois, elle n'était pas non plus *aussi morte* que tout le monde le prétendait.

Rosemund, toujours rêvant tout haut, sans regarder son père. Elle parle tout bas.

ROSEMUND

Et moi pas *aussi vivante* alors ? Jamais vraiment vivante ?

SIMEON

Oui, peut-être.

ROSEMUND

À jamais *pas complètement née* sous ton regard, papa.

Un long silence, gêné et triste, s'installe.

SIMEON

À jamais pas complètement née dans ma vie, mon enfant, sans doute. Peut-être as-tu raison.

En fait tout cela m'a plongé dans un profond dégoût et un long désespoir.

J'ai sans doute trop fui la commisération insupportable des miens, les démonstrations de mes amis, la bienveillance des paroissiens, l'assistance

importune des paroissiennes et leurs sollicitations
à s'occuper de tout, la bénédiction de l'évêque…
   J'ai fait un pas en arrière. J'ai quitté Dieu. Je me
suis réfugié dans le jardin.
   Dans ce jardin où la nature merveilleuse a pris
toute la place.
   Et maintenant dans ce jardin «sonore»: je parle
de ce livre dont personne ne veut. C'est cette partition étrange que tout le monde écarte.


Long silence.
Long silence qui devient humilié.
Simeon lève son visage vers le ciel.


SIMEON


Oh ne me rejette pas,
toi qui es au fond du ciel,
substance obscure de la nuit!


Où est ton visage, Seigneur,
sinon dans la substance obscure de la nuit?


Il suffit d'un cri
pour qu'il y ait une prière!

Pour que l'invocation s'élève il suffit d'un san-
glot qu'on étouffe
dans les petites plumes de canard et les duvets
des oies qui ont été fourrés dans l'oreiller,
ridicule compagnon de la nuit solitaire.

Même le nom d'une morte est une espèce de cri
comme un oiseau qui chante !
Même le nom d'une morte est une prière qui
module et qui résonne...

La sonnette du facteur retentit à la porte du
jardin.
Rosemund vieillie revient par le jardin, elle tend
le courrier à son père qui ouvre, après avoir déplié
la lame brillante de son petit canif, l'enveloppe.

SIMEON

Septième refus !

Il sourit, il met la lettre dans sa poche. La poche
de la redingote est déjà pleine. Il les ressort toutes.
Il extirpe, de toutes les lettres de refus des éditeurs, une feuille de papier pliée en quatre.

125

SIMEON

Rosemund !

ROSEMUND

Oui.

SIMEON

Tu as un instant ?

ROSEMUND

Oui, papa.

SIMEON

Alors assieds-toi, ma fille.

Le révérend déplie en tremblotant le papier qu'il a sorti de sa poche.

Je voudrais te lire le nouveau sermon que je me propose de faire dimanche.

Va donc t'asseoir, ma petite !

Le révérend pose sur son nez ses lunettes de fer.

Rosemund va s'asseoir sur une chaise, dos au public, tandis que le révérend reste debout au milieu du salon de la cure.

Il lisse avec le dos de sa main la feuille de papier.

Il prend un ton un peu solennel. Il articule à l'excès le texte de son sermon comme s'il était debout devant la grille du chœur, debout sur les marches qui mènent à l'autel, et qu'il s'adressait à ses paroissiens.

SIMEON

La nature est plus profonde que tous les dieux qui par milliers sont nés d'elle autrefois.

La nature se tient au fond de Dieu.

Car ce que nous fûmes jadis, les chats, les musa-raignes, les papillons, les abeilles, les fleurs – cela console de tout.

C'est notre source qui nous console quand nous la contemplons.

Celle que j'avais perdue je la rejoignais à la source, à l'intérieur de ses deux grandes jambes pâles,

à la source profonde.

Qui ne s'abrite dans l'origine ?

Le vrai nom de Dieu c'est le commencement.

Le commencement commence avant Dieu même…

ROSEMUND

Ce n'est pas possible, papa ! Ce n'est pas convenable.

Je ne veux pas que tu parles de maman comme cela !

Ce n'est pas possible. Ce sermon est impie !

SIMEON

C'est le sermon que je vais faire, Rosemund. J'y tiens. J'habillerai ça avec des versets de la Bible et tout ça paraîtra très réglementaire. (Un silence)

Pour te faire plaisir je retirerai la phrase sur maman. (Un silence) Tu sais, je crois ce que je dis !

Le révérend reprend la lecture de son sermon.

SIMEON

Oui, il y avait un jardin, situé à l'est du monde. Quatre fleuves l'arrosaient…

Le noir total envahit la scène tandis que l'interprète joue la partition de Simeon Pease Cheney consacré au *Premier jardin*.

# CHAPITRE VI

Simeon adossé à son grand oreiller blanc brodé.
Sur la table de chevet, la veilleuse est allumée.
Simeon, torse nu, barbe entièrement blanche, est alité.
Rosemund tricote à ses côtés.
Simeon repose la partition couverte de notes qu'il tenait sur ses genoux.
Il ôte ses lunettes.

SIMEON

Tu peux arrêter ton tricot !
Je n'ai même plus la force de composer ce concert d'aiguilles que j'entendais enfant.

Au-dessous de la fenêtre, sur le banc d'allège, quand l'hiver était là, quand la neige était là, quand les fleurs de givre agrippaient les vitres de leurs broderies symétriques,
de leurs arbres magiques,
de leurs fleurs féeriques,
quand il n'était plus question de mettre le nez dehors,
la mère de Simeon, il y a si longtemps, il y a tellement longtemps, nerveusement, tricotait,
regardant la neige par la fenêtre prise de givre.
Elle produit un petit bruit métallique hypnotique,
elle crépite comme un insecte obsédé
qui construit patiemment un doux treillis épais de laine.

SIMEON

Maman ! Ç'aurait été un beau petit tricot de corps sur le torse d'un petit garçon mort !
Un petit linceul aussi blanc que le givre

qui m'empêche en partie de voir le dessin de
l'arbre de la cour !

Pourquoi suis-je né ? J'ai consacré l'essentiel du
temps de ma vie à rassembler un livre qui maintenant m'emplit de honte.

ROSEMUND

Laisse-moi prendre ton pouls.

Le révérend tend sa main.

ROSEMUND

Ça marche.

SIMEON

Encore heureux.

Rosemund retient toujours la main et le poignet
de son père.

ROSEMUND

Papa, tu aurais dû écrire une mélodie sur ton pouls.

SIMEON

Tu te moques.

Elle prend elle-même, plaçant son pouce sur son propre poignet, son pouls.

ROSEMUND

C'est quand même un ancien chant sublime.

SIMEON

Montre !

Le révérend se penche et prend à son tour le pouls de sa fille.

Oui, c'est vrai. C'est sublime. Ça palpite mais, en
plus, quelque chose coule en rond au fond
qui ne lasse pas.
Quelque chose pousse, conflue au fond de nous
et veut dire quelque chose.

Rosemund ôte délicatement sa main pour regar-
der soudain son doigt.
Elle étend l'annulaire.
Elle se penche tout près du visage de son père.
Elle lui montre son doigt nu.

ROSEMUND

Regarde !

SIMEON

Je ne vois rien.

ROSEMUND

Mon doigt est un peu enflé.

SIMEON

Oui. Peut-être. En effet. Un peu.

ROSEMUND

Papa, mon doigt réclame une bague.

SIMEON

Ton doigt réclame une bague !

ROSEMUND

La bague de maman.

C'est un long silence, lourd, qui se prolonge.

SIMEON

Bien sûr. Bien sûr, ma petite. Ouvre la porte de l'armoire. À l'étage le plus élevé. Non : encore au-dessus ! Tu y arrives ?

ROSEMUND

Je ne peux pas.

SIMEON

Va prendre une chaise ou bien tire la banquette du piano. C'est la boîte qui est en velours marron. En suédine marron.

Rosemund va chercher une chaise.

ROSEMUND

Qu'est-ce que la suédine ?

SIMEON

La suédine c'est un coton poncé comme une peau rasée, très finement rasée, presque veloutée… Je ne sais plus très bien. Il faudrait demander à ma mère !

Rosemund descend de la chaise, caressant le vieil écrin de suédine. Elle le donne à son père.

Il l'ouvre difficilement, ou cérémonieusement, ou un peu à contrecœur.

Peu importe, il dégage l'anneau de sa petite pochette en soie.

Il glisse la bague au doigt de sa fille. Rosemund est extrêmement émue. C'est un étrange mariage entre le père et la fille.

Le rayon de lumière se pose sur la main de la jeune femme et la bague qui scintille.

ROSEMUND

Cette alliance est si belle !

SIMEON

Oui.

ROSEMUND

Merci, papa.

Rosemund se lève afin de s'incliner au-dessus de l'oreiller. Elle embrasse son père sur la joue envahie par la barbe blanche.

La scène s'éteint doucement.

Ne restent plus que les petites bougies du piano de 1815 qui éclairent, à peine, un clavier désormais sans partition.

Il mourut le 10 mai 1890. Le passé reflue avec les jours qui s'accumulent, arrache violemment les algues aux plus grandes marées, traîne les coquillages, roule les fragments, décompose les os de seiche si blancs,
  entasse le sable qu'il compose.
  Il faut bien comprendre ce monde.
  Quand le passé reflue, il s'amenuise.

Alors, quand le passé a complètement reflué, l'océan est parti,
  les morts sont heureux,
  la laisse de mer est nue et brille comme au premier jour.
  Humide, longée par l'écume, elle reflète le ciel.

Rosemund partit enseigner dans le petit port de New York.

Il lui semble qu'il lui a dit, avant qu'il meure, la serrant dans ses bras maigres :
— Je t'aime, ma toute petite.
De plus en plus bas :
— Je t'aime, ma toute petite.
Il lui semble qu'elle lui a répondu :
— Papa, je vais aller arroser le jardin.
Il lâche sa canne. Ça, c'est mauvais signe.
Voilà, il a lâché sa canne.
— Papa, je vais aller arroser le jardin.

ROSEMUND

Le long du quai les grands vaisseaux que la houle incline
en silence oscillent
comme les berceaux que la main des femmes
balance.
Vient le jour des adieux.
Et ce jour-là les grands vaisseaux, fuyant le port qui diminue, sentent leur masse retenue
par l'âme des lointains berceaux.

# CHAPITRE VII

L'été, l'orage, un éclair dans le ciel.

Il fait si chaud. C'est un mois d'août torride. Chaque soirée regorge d'orages. Hier la mare a débordé après l'averse et a détrempé toute l'oseraie jusqu'au pied du mûrier.

Les merles rampent dans l'ombre sous les arbres et débusquent les vers.

Il fait si chaud que les mouches couvrent les commodes et même le clavier d'ivoire devenu inutile.

Rosemund Eva Cheney a abandonné le piano définitivement.

Elle a quitté New York. Elle est revenue au village natal. Elle enseigne désormais le violoncelle et le chant à l'école de jeunes filles de Geneseo.
Trois ans sont passés comme un jour.

Il fait si chaud que pour se rendre à l'école du village, Rosemund, âgée de cinquante ans, les partitions roulées sous le bras, suit l'ombre des murs.

Même les papillons dormaient, glissés sous les feuilles épaisses des lierres.

Les lattes du plancher ne craquent plus dans la chaleur de l'été et la douleur du deuil.
Quelque chose remue pourtant dans les plis du rideau.
Quelqu'un se penche par la fenêtre ouverte.

Autrefois, tout seul, il se déshabillait,
il faisait si chaud dans le silence et dans l'après-midi,
dans la torpeur.
Il se dénudait entièrement,
il se glissait
dans l'eau opaque et grasse de la mare.

Il y est bien, c'est tiède. Il pose la tête blanche sur la mousse.

Il y a quelque chose de plus ancien que soi dans cet étang, cette petite roselière, ce bruant qui en assure la garde, ces menthes,

ces mûres noires,

quelque chose de calme, de liquide, de doux,

quelque chose de mort un peu peut-être, ici,

en tout cas quelque chose qui n'est pas très vivant, qui n'est pas très bruyant,

qui n'est pas froid, – un peu tiède,

quelque chose dont la morphologie est plus proche des oiseaux que celle des hommes,

quelque chose qui chante à peine

dans le bec,

qui glisse entre les joncs comme une onde,

qui suit un si petit sillage,

qui court comme la minuscule araignée sur la surface de l'eau de l'onde que ses pieds ne pénètrent pas,

qui cherche sa part de pollen tombé de la lumière que le ciel répand.

Pour le ciel,

pour le jadis qui est dans le ciel,

comme pour les amoureux qui entrent dans la chambre sombre en se tenant par la main,

leurs corps tremblant déjà de la nudité qui se fait plus proche,

le nombre deux n'existe pas.

Dans la barque,

une mystérieuse rame toute seule repose dans le noir

et reste sur le fond de bois humide

sans qu'elle pénètre dans l'eau inconsistante.

Le poème appris par cœur, grâce à une ou deux ou trois modifications, fait signe à celle qu'on aime.

— Car il faut que les femmes pleurent.

— Alors c'est toi.

— Oscillent, oscillent en silence. Oui c'est moi, mon amour.

Le lierre inarrachable qui pousse sur la tombe,

plus on l'arrache, plus on le sectionne, plus on le cisaille,

plus il se fait épais et plus il devient sombre,
poussiéreux, suffoquant, dense.

Ce lierre est comme le temps.

Il crie :

«J'étouffe, j'étouffe !

Quand cessera l'étreinte ?»

Pas seulement le lierre qui sent si fort le miel
épais, cristallisé, délicieux de l'automne !

Ni le chèvrefeuille, tellement gigantesque, qui ne
cesse de gonfler au-dessus du porche !

Ni, si lente, si tardive, la glycine
qui pend, qui engloutit la grille dans son pied,
qui enveloppe avec ses lourdes grappes partout les
murs qui enclosent le verger,

   tout est étreinte et lien, entrave, nœud, enlace-
ments, caresses !

Il n'y a que toi qui t'es faite plus transparente
toi dont le visage ne s'efface pas mais pâlit, blan-
chit, se creuse,
   s'amincit,
   s'éloigne, s'éloigne.

Comme une coquille sur son rocher qui devient
gris

puis blanc comme la craie,
au soleil,
sur la laisse que délaisse la mer
comme le vieux lierre sur le mur moussu du
jardin
de plus en plus noueux, torsadé, étranglé,
il reste accroché à son amour.

Je me souviens que le jour de notre mariage, quand nous sortîmes de l'église, les deux sonneurs de Meredith, ils avaient quinze ans, ils se précipitèrent et ils tirèrent les cloches avec une incroyable vigueur.

Les sons se répercutent sous les auvents d'ardoise,
filent sur la mousse,
s'incurvent dans l'ombre des voûtes.

La pureté si incroyablement violente des sons des cloches fit tressaillir tout le haut de mon corps.

Elle fit trembler mon cœur.

Eva dans son immense robe blanche brodée, dans ses rubans blancs, et moi,
dans ma redingote noire, le haut-de-forme dans la main,

nous frissonnions de tous nos membres, à l'unisson.

Ce n'était pourtant qu'un carillon de trois notes mais c'était aussi un serpent,
une couleuvre de bonheur qui grimpait le long de l'échine jusqu'au cou
et qui serrait le cou !

Les deux tierces de *sol* et la résonance sur la pierre ancienne
et l'odeur fraîche de l'ardoise et de la campagne forment de longs cercles sonores autour du cortège
que les deux familles forment en montant vers l'église.

Tout le monde s'est mis à marcher lentement, au pas, oppressé par une crainte peut-être,
un étrange pressentiment.

De longs cercles moins forts mais de plus en plus longs, de plus en plus purs, de plus en plus joyeux engloutissent les femmes et les hommes.

Trois notes en tierce : *ré si sol*. J'ai eu envie de m'agenouiller en entrant sous le porche, devant le bénitier de marbre.

Eva, Eva, je ne sais pas ce que tu éprouves.

Pourquoi grelottes-tu à mon bras ?

Même quand les morts ont achevé leur mort,
tu vois,
leur histoire met du temps à appartenir au passé.
Mais nombreux sont les morts qui n'ont pas accompli toute leur vie dans leur vie !
Alors il faut beaucoup narrer le récit de leur fin
avant que le souvenir qu'ils laissent se disperse.
Il faut beaucoup, beaucoup, beaucoup essuyer le visage en larmes
avant que le visage s'efface.

Il lève les yeux du clavier d'ivoire. Il regarde la porte qui ne s'ouvre pas. Il a cessé de jouer.
Et c'est le bruissement d'une robe de soie maintenant qu'il entend, les mains levées dans les faibles lueurs des bougies.

— Oh ! comme elle est vraie, cette ombre avec qui il partage sa vie,
et à laquelle, si souvent, il s'adresse,
lui faisant part de la beauté des choses du monde qu'il rencontre
et des différents instants des saisons qu'il compare avec les souvenirs qu'en lui elle lui raconte.

— Suis-je devenu fou ? Est-ce que ma vue est malade ? Il me semble que je vois mon épouse revenir de chez les morts !

Il pleure. Il tend – vers cette intense lumière – ses mains, avec prudence.

— Est-ce que je suis devenu fou ?

— Oui, mon amour, lui dit-elle avec douceur. Oui. Tant mieux, tu es devenu fou !

Elle le prend dans ses bras délicatement.

Leurs ventres se touchent.

Regardez comme leurs ventres se touchent et comme ils tremblent !

Mais il ne sent rien.

Soudain tout s'éparpille dans l'air.

Sous ses yeux il ne voit plus que les notes surélevées d'ébène et une affreuse pâleur entre elles qui ressemble à de l'eau.

Un jour, dans une bourgade située dans les Finger Lakes, un pasteur consacre ses instants perdus à noter le chant des oiseaux tant il aime sa femme et les souvenirs qu'elle a laissés d'elle dans le jardin qu'elle a aménagé, planté, imaginé, espéré. Alors les fidèles se détournent avec un peu d'acrimonie de leur pasteur qui préfère les petites fleurs et sa morte à leurs péchés et à leur peur. Les paroissiens se rassemblent entre eux et lui en font le reproche dans une lettre que la plupart signent : « Vous vous intéressez plus à la nature que Dieu a conçue qu'aux hommes qu'il a créés. Vous prenez soin des fleurs et des bruants et des hérons de votre mare et négligez les femmes de notre communauté qui souffrent tant d'être seules, les veuves qui implorent l'une après l'autre votre venue et votre réconfort, les pauvres qui guettent votre charité, les coupables et les angoissées qui recherchent vos absolutions et supplient vos prières. »

Quand ils découvrent les chants des grives et des passereaux qu'il a notés tout le long de sa vie, la susurration de ces vents coulis, ces gouttes lancinantes dans les seaux, les musicologues pouffent derrière leur main. Les naturalistes haussent les épaules. Les critiques fustigent la pauvreté du rendu. « Ce n'est pas de la musique ! La musique est humaine ! La musique est construite. Là, ce que le révérend Simeon Pease Cheney a noté sur les portées violettes horizontales, ce ne sont que des crépitements d'insectes, des claquements de portes et des tintinnabulations harcelantes dues à la fuite d'un robinet ! C'est aussi fastidieux que le roulement monotone des vagues de la mer ! »

Maintenant ce sont les savants qui font procès à Simeon Pease Cheney d'avoir contraint les mélodies sauvages à rentrer dans la notation arbitraire des gammes humaines.

Maintenant ce sont les amateurs de la vie pure et naturelle qui dénigrent son effort.

Maintenant ce sont les écologistes qui l'incriminent à leur tour. « Vous avez mis les oiseaux en cage », disent-ils à ce mort aux joues creuses, à la vaste barbe blanche de Père puritain qui avait simplement ouvert un peu l'oreille humaine à la beauté des sons de l'origine.

L'évêque de New York déplore la « déplaisante sauvagerie » (*unpleasant wildness*) du pasteur de Geneseo. Les paroissiens voudraient le chasser mais n'y parviennent pas. Les éditeurs de musique refusent de publier ses partitions.

Car le révérend a plaidé. Il s'est justifié.

Il a écrit : « Il y a quelque chose du paradis dans le chant des oiseaux. Dieu n'a pas damné les oiseaux dans l'Éden. »

# CHAPITRE VIII

La lumière est safranée et grise.

Le salon semble plus propre et plus froid, comme dans un appartement d'Hammershoi.

La fille du pasteur avait commencé à augmenter les revenus de son père en donnant aux enfants du village qui le désiraient des cours de solfège à l'aide d'un petit pianola.

Dorénavant elle a substitué au pianola un cello. Elle a substitué aux cours de piano des leçons de chant.

La fille unique du pasteur réapparaît plus âgée, plus lente, à jardin. Elle a la robe montante et noire des veuves. Elle a un chignon de cheveux gris et blancs qui dégage entièrement son front pâle.

Une collerette de dentelles.

Une belle bague d'or scintille à son annulaire.

Elle vient de publier de façon posthume le livre de son père en le complétant des dernières mélodies qu'il a écrites.

De façon posthume, comme Charlotte Brontë, vingt ans plus tôt, a publié les poèmes de sa sœur Emily,

elle a fait éditer le livre de son père refusé partout.

Le récitant se tourne vers Rosemund Eva Cheney.

LE RÉCITANT

Tu as l'air heureuse.

Rosemund le regarde attentivement.

154

Je sens que quelque chose est sortie de moi et cela me rend heureuse.

Les rivières changent curieusement de nom au cours de leur parcours.

L'amour que ma mère portait à ce jardin, mon père l'a relayé. Il en a assumé la charge durant toute sa vie, c'est moi qui en ai le soin, dorénavant, et aussi l'émotion, désormais.

Lui, c'était la voix de son épouse qu'il reprenait. Il en suivait les indications scrupuleusement. Il obéissait aux vieilles préférences des fleurs qu'elle choyait.

Moi, c'est la longue barbe blanche et les yeux pâles de mon père que je suis.

Je réentends les commentaires interminables qu'il me faisait quand j'étais une toute petite fille qui titubait encore sur ses petites jambes. J'étais tétanisée par sa grosse voix basse de prêcheur.

Ici, papa disait : Il faut simplement un peu tremper d'eau le trou de terre, pour la nuit.

Là, il fallait verser doucement, doucement, ne pas noyer les feuilles les plus basses, afin qu'elles ne pourrissent pas.

Ici, creusant autour de la racine, on peut inonder d'eau la terre autant qu'on veut, et en remettre encore.

Ici, il faut avoir la patience d'aller chercher la pioche, puis la bêche, afin de recreuser une petite rigole où l'eau dérive et, finalement, atteint toutes les racines voisines.

Ici, regarde, Rosemund, humecter a suffi.

Moi aussi, papa, regarde, j'ai les yeux pleins de larmes !

Dans le port de New York mes yeux brillent de convoitise et aussi de désir

mais les hommes me fuient comme la peste parce qu'ils me trouvent trop distante.

J'étais une petite racine sèche.

Je suis une petite racine que le mépris d'un homme, qui était son père, a desséchée.

Les hommes n'aiment pas les filles inconfortables et surtout malheureuses.

Je voudrais pleurer à sanglots. Je porte l'arrosoir. J'arrose les pensées, les anémones, les dahlias, les pauvres coquelicots qui sont venus d'on ne sait où, je leur donne un peu d'eau,

la pauvre bourrache bleue, les pois de senteur sur le vieux mur qui clôt l'étang,

j'arrose un tout petit peu les roses, très peu, très peu, juste pour que la terre ne crevasse pas dans la chaleur.

Je verse doucement l'eau, l'ombre, et le chant dans le chant.

Miss Rosemund Cheney repart. Elle rentre dans les lés noirs des rideaux qui cernent la scène.

Elle revient avec un petit pliant en x et l'ouvre sur le devant de la scène. Repart. Revient avec son violoncelle et son pupitre. Elle porte un bonnet de laine qui laisse le visage maigre et pâle et anxieux et nu. Un petit collier de perles véritables entoure son cou que le temps a plissé. Elle s'assoit sur le petit x en velours, elle installe son violoncelle entre ses cuisses, elle l'accorde, elle ouvre la bouche, elle s'apprête à chanter. Elle se reprend. Elle commence à interpréter à toute allure, en pizzicati, l'air des *Berceaux* de Gabriel Fauré.

Puis silence.

Puis elle le chante, très lentement, à pleine voix, s'accompagnant à peine, – exactement comme aurait fait son père.

En 1895, à onze heure du matin, le 22 octobre, la ruelle qui mène au presbytère de Geneseo est interdite à la circulation par trois policemen. Le temps d'automne est triste. Les nuages sont nombreux. Il ne fait pas chaud. Une vingtaine de personnes en manteaux d'hiver ou en pèlerines sont venues assister à la cérémonie du dévoilement d'une plaque au-dessus de la porte de la cure rédigée à la demande de sa fille unique, professeur de violoncelle et de chant, Miss Rosemund Eva Cheney, en hommage au révérend Simeon Pease Cheney, né le 18 avril 1818, dans le New Hampshire, à Meredith, mort dans cette maison le 10 mai 1890, pasteur, compositeur de musique et ornithologue de la Nouvelle-Angleterre.

Rosemund Eva Cheney est parvenue à publier à compte d'auteur le livre de son père, raclant toutes ses économies, avec une belle photographie de son père à mi-corps, en frontispice, à l'université de Cambridge.

Rosemund a déplié un petit pliant en x sur le trottoir : il est fait d'un joli velours vert à côtes – aux côtes très serrées, presque une suédine –, face à la porte d'entrée et les deux marches.

Elle est sortie de la maison avec son violoncelle. Elle s'est assise sur le dépliant en x. Elle a tiré la pique. Elle a placé l'instrument entre ses deux genoux. Elle a vérifié l'accord.

Quelques fidèles de la paroisse sont venus l'entourer, font silence alors et l'observent avec respect et avec compassion.

Les notes pincées s'élèvent.

Puis elle s'éclaircit la voix et c'est le chant.

En même temps on entend sur la scène gronder l'orage.

Il fait soudain très sombre.

Rosemund joue, entièrement absorbée par la musique de son père qu'elle interprète du mieux qu'elle peut.

Juste à ce moment-là l'orage tonitruant éclate.
Noir total traversé d'éclairs éblouissants.

Maintenant c'est la pluie qui commence à tomber doucement sur eux tous tandis qu'elle chante en s'accompagnant au violoncelle *Les Strophes des oiseaux* de Simeon Pease Cheney. Soudain c'est l'averse. Une violente averse. Il tombe des cordes. Les parapluies s'ouvrent pendant quelques secondes mais la pluie est trop forte, les fidèles ne se retiennent plus, s'enfuient à toute allure dans les ruelles. C'est la bourrasque. Rosemund Eva Cheney s'engouffre en pleurant dans la cure en protégeant de la pluie autant qu'elle le peut le bois de son violoncelle.

Le petit pliant de velours à côtes si serrées, si douces, si rases, de suédine verte,
reste seul
sur le trottoir
trempé.

Rosemund à l'intérieur de la cure avec son violoncelle à la main, à l'abri, regarde par la baie vitrée les rafales de pluie qui viennent de la mer.

Les violents flashes de lumière donnent l'impression de noir absolu suivi d'illuminations, de tempêtes, d'éclairs, d'orage.

Brusque détonation particulièrement forte.

ROSEMUND

Oh ! Un arc-en-ciel !

Au fond du jardin un arc-en-ciel s'élève.

Rosemund pose par terre son violoncelle, se précipite vers le fond du jardin.

Rosemund, au fond de la scène, au fond du jardin, près de l'étang, dos au public, contemple l'arc-en-ciel.

Le révérend arrive à jardin venant de la grille, il tient son livre publié entre ses mains, il entre dans la pièce par la porte-fenêtre, il pose son pardesssus sur le portemanteau.

Le récitant se lève à cour, il accroche sa veste sur le portemanteau.

Le récitant récite : c'est-à-dire mime.

Ils miment en silence les gestes du tout début, les gestes quotidiens.

Le révérend referme son livre.

Le récitant referme et range les partitions.

Simeon et moi nous sommes comme des mimes silencieux.

Dans une lumière intense nous arrivons l'un en face de l'autre.

Complètement en reflet l'un de l'autre.

Nous mettons nos manteaux, nous défaisons nos manteaux, nous nous aidons l'un l'autre, nous les accrochons sur le portemanteau. Nous divergeons l'un de l'autre en faisant exactement la même chose. C'est moi qui contrefais en décalé tout ce que fait Simeon.

Le révérend Simeon Pease Cheney, très vieux, gagne son fauteuil, s'assoit dans son fauteuil, pianote sur ses genoux.

Moi, tout aussi vieux, gagne la banquette du piano, m'assois sur la banquette face à Simeon, pianote sur mes genoux en le regardant.

Longtemps, tous les deux on joue une musique silencieuse tandis que le noir se fait lentement.

Rosemund revient lentement, on voit l'arc-en-ciel qui persiste dans le ciel au fond du jardin, elle rentre dans la cure, s'avance dans le salon, nous prend par la main, nous conduit sur le bord de scène, nous saluons tous les trois en silence.

# TABLE

## DU MÊME AUTEUR

Petits traités, tomes I à VIII, éd. Adrien Maeght, 1990 (Folio 2976-2977)

Dernier royaume, tomes I à IX :
Les Ombres errantes (Dernier royaume I), éd. Grasset, 2002 (Folio 4078)
Sur le jadis (Dernier royaume II), éd. Grasset, 2002 (Folio 4137)
Abîmes (Dernier royaume III), éd. Grasset, 2002 (Folio 4138)
Les Paradisiaques (Dernier royaume IV), éd. Grasset, 2005 (Folio 4616)
Sordidissimes (Dernier royaume V), éd. Grasset, 2005 (Folio 4615)
La Barque silencieuse (Dernier royaume VI), éd. Le Seuil, 2009 (Folio 5262)
Les Désarçonnés (Dernier royaume VII), éd. Grasset, 2012 (Folio 5745)
Vie secrète (Dernier royaume VIII), éd. Gallimard, 1998 (Folio 3292)
Mourir de penser (Dernier royaume IX), éd. Grasset, 2014 (Folio 6058)

L'Être du balbutiement, essai sur Sacher-Masoch, éd. Mercure de France, 1969
La Parole de la Délie, essai sur Maurice Scève, éd. Mercure de France, 1974

Michel Deguy, éd. Seghers, 1975

Le Lecteur, récit, éd. Gallimard, 1976 (Folio 5855)

Carus, roman, éd. Gallimard, 1979 (Folio 2211)

Les Tablettes de buis d'Apronenia Avitia, roman, éd. Gallimard, 1984 (L'Imaginaire 212)

Le Salon du Wurtemberg, roman, éd. Gallimard, 1986 (Folio 1928)

La Leçon de musique, éd. Hachette, 1987 (Folio 3767)

Les Escaliers de Chambord, roman, éd. Gallimard, 1989 (Folio 2301)

Albucius, éd. POL, 1990 (Livre de Poche 4308)

Kong Souen-long, Sur le doigt qui montre cela, éd. Michel Chandeigne, 1990

La Raison, récit, éd. Le Promeneur, 1990

Tous les matins du monde, roman, éd. Gallimard, 1991 (Folio 2533)

La Frontière, roman, éd. Michel Chandeigne, 1992 (Folio 2572)

Le Nom sur le bout de la langue, éd. POL, 1993 (Folio 2698)

Le Sexe et l'Effroi, éd. Gallimard, 1994 (Folio 2839)

Les Septante, conte, avec Pierre Skira, éd. Patrice Trigano, 1994

L'Amour conjugal, roman, avec Pierre Skira, éd. Patrice Trigano, 1994

L'Occupation américaine, roman, éd. Le Seuil, 1994 (Point 208)

Rhétorique spéculative, éd. Calmann-Lévy, 1995 (Folio 3007)

La Haine de la musique, éd. Calmann-Lévy, 1996 (Folio 3008)

Terrasse à Rome, roman, éd. Gallimard, 2000 (Folio 3542)

Tondo, avec Pierre Skira, éd. Flammarion, 2002

Écrits de l'éphémère, éd. Galilée, 2005

Pour trouver les enfers, éd. Galilée, 2005

Le Vœu de silence, essai sur Louis-René des Forêts, éd. Galilée, 2005

Une gêne technique à l'égard des fragments, essai sur Jean de La Bruyère, éd. Galilée, 2005

Georges de La Tour, éd. Galilée, 2005

Inter aerias fagos, poème latin calligraphié par Valerio Adami, éd. Galilée, 2005

Inter aerias fagos, poème latin traduit par par Pierre Alféri, Éric Clémens, Michel Deguy, Bénédicte Gorrillot, Emmanuel Hocquard, Christian Prigent, Jude Stéfan, éd. Argol, 2011

Villa Amalia, roman, éd. Gallimard, 2006 (Folio 4588)

Requiem, avec Leonardo Cremonini, éd. Galilée, 2006

Triomphe du temps, quatre contes, éd. Galilée, 2006

L'Enfant au visage couleur de la mort, conte, éd. Galilée, 2006

Ethelrude et Wolframm, conte, éd. Galilée, 2006

Le Petit Cupidon, récit, éd. Galilée, 2006

Le Solitaire, avec Chantal Lapeyre-Desmaison, éd. Galilée, 2006

Quartier de la transportation, avec Jean-Paul Marcheschi, éd. du Rouergue, 2006

Cécile Reims graveur de Hans Bellmer, éd. du Cercle d'art, 2006

La Nuit sexuelle, éd. Flammarion, 2007 (J'ai lu 9033)

Boutès, éd. Galilée, 2008

Lycophron et Zétès, éd. Gallimard, 2010 (Poésie/Gallimard 456)

Sur le désir de se jeter à l'eau, avec Irène Fenoglio, éd. Presses Sorbonne nouvelle, collection Archives, 2011

Medea, éd. Ritournelles, 2011

Les Solidarités mystérieuses, roman, éd. Gallimard, 2011

L'Origine de la danse, éd. Galilée, 2013

Leçons de solfège et de piano, éd. Arléa, 2013 (Arléa-Poche 195)

La Suite des chats et des ânes, avec Mireille Calle-Gruber, éd. Presses Sorbonne nouvelle, collection Archives, 2013

Sur l'image qui manque à nos jours, éd. Arléa, 2014 (Arléa-Poche 205)

Une vie de peintre, Marie Morel, éd. Galerie B./éd. Regard, 2014

Critique du jugement, éd. Galilée, 2015

Sur l'idée d'une communauté de solitaires, éd. Arléa, 2015 (Arléa-Poche 217)

Princesse Vieille Reine, cinq contes, éd. Galilée, 2015

Les Larmes, roman, éd. Grasset, 2016

Le Chant du Marais, avec Gabriel Schemoul, éd. Chandeigne, 2016

Performances des ténèbres, éd. Galilée, 2017

Une journée de bonheur, éd. Arléa, 2017 (Arléa-Poche 234)

Cet ouvrage a été imprimé
dans les ateliers de
Grafica Veneta
pour le compte des éditions Grasset
en mai 2017


Mise en pages MAURY IMPRIMEUR

*Grasset* s'engage pour
l'environnement en réduisant
l'empreinte carbone de ses livres.
Celle de cet exemplaire est de :

600 g éq. CO$_2$

Rendez-vous sur
www.grasset-durable.fr

**PAPIER À BASE DE**
**FIBRES CERTIFIÉES**

Dépôt légal : mai 2017
N° d'édition : 19898
*Imprimé en Italie*

11) like no plays
- Simeon Pease Cheney
77) prefers sorrow
- pleasures of sadness
- reigning monarch of depression